COME LEGGERE

Fontamara di IGNAZIO SILON

La collana è realizzata con la collaborazione
di Mario Miccinesi

CARMELO ALIBERTI

Come leggere
Fontamara
di
Ignazio Silone

Nuova edizione aggiornata

MURSIA

a Fiora Vincenti

2004/AC/III - U. Mursia editore - Via Tadino, 29 - Milano

I

IGNAZIO SILONE

L'AMBIENTE

Nei primi lustri del XX secolo in Europa esplodono, nel crogiuolo di manifestazioni eterogenee, le contraddizioni maturate nella seconda metà dell'Ottocento durante la fase di rafforzamento delle istituzioni liberali.

Il processo di espansione dell'egemonia capitalistica, sostenuto dall'azione reazionaria della borghesia, risulta costantemente turbato dalle rivendicazioni delle sinistre che si avviano a precisare il loro ruolo storico attraverso la mobilitazione rivoluzionaria delle masse operaie e contadine in un modello di organizzazione politica fondato sui principi ideologici del catechismo marxista.

Il movimento operaio, dopo aver rinnegato l'anima soreliana ed esser riuscito a evitare l'insidia del revisionismo bernsteiniano, riscontra l'espressione piú concreta del socialismo nell'intransigenza rivoluzionaria di Rosa Luxemburg e Lenin che trionfa in Russia nel 1917, mentre lo snaturamento del superomismo nietzschiano, sorto come atteggiamento antiborghese, contribuisce a convertire al nazionalismo gli impulsi irrazionali del socialismo estremista.

In Italia, dopo il travagliato esordio, gravido di intemperanze e di errori, che ha facilitato l'operazione di inglobamento e di sterilizzazione del trasformismo giolittiano, il movimento socialista attenua le sue lacerazioni interne nel congresso di Reggio Emilia (1912), con l'espulsione della destra revisionista di Bissolati e Bonomi, e sperimenta drammaticamente la linea massimalista di Mussolini nei moti della « settimana rossa » (1914) che, con la sanguinosa repressione del governo Salandra, segnano la fine del compromesso fra le forze popolari e le istituzioni borghesi e rilanciano la necessità di una scelta radicale.

Nel dopoguerra, il dissesto economico subito particolarmente dalle categorie piú povere spingerà le classi lavoratrici ad associarsi in organizzazioni politiche omogenee e salde in modo da poter affrontare l'offensiva del conservatorismo neocapitalistico.

Nel 1919 Luigi Sturzo richiama i cattolici all'impegno politico con la fondazione del partito popolare che si fa interprete delle rivendicazioni dei contadini centro-settentrionali.

Nello stesso anno, Gramsci promuove a Torino il movimento « Ordine Nuovo » che, valicando i limiti del « concretismo », condensa questione sociale e questione meridionale nella teorizzazione, di stampo leninista, del blocco storico tra avanguardia operaia e masse contadine meridionali, teso alla mobilitazione rivoluzionaria delle forze, anche intellettuali, genuinamente anticapitalistiche.

Nel congresso socialista di Livorno (gennaio 1921) lo stesso Gramsci, con l'adesione del gruppo di Bordiga, fonda il P.C.I. in cui confluisce anche Ignazio Silone che subito ottiene importanti incarichi dirigenziali.

Intanto il fascismo, corrotto dalla finanza degli agrari emiliani, rinnega l'iniziale sovversione antiborghese e scatena un'offensiva contro le organizzazioni dei lavoratori, tesa a distruggere definitivamente la prospettiva di trasformazione democratica del regime liberale e, nel 1922, eliminate le componenti eversive con la marcia su Roma (28 ottobre) inaugura la restaurazione autoritaria, perfezionata con l'uccisione di Matteotti (1924) e con la promulgazione delle leggi speciali (1926) che sanciscono il trionfo della plutocrazia industriale e agraria, in un'Italia sgozzata nelle sue esigenze di espansione culturale dalla glaciazione autocratica.

Da una prospettiva scientifica, il positivismo, con la scoperta della radioattività e con gli sviluppi della « teoria dei quanti » di Planck, con la scomposizione atomica della materia e con l'emancipazione della teoria einsteiniana della relatività, si avvia a consumare la seconda rivoluzione scientifica che mette in crisi il rigido determinismo e rivela l'esigenza di esplorare la complessità dell'esistenza in una proiezione piú vasta.

In letteratura, l'introduzione della psicanalisi ribalta la linea di sviluppo idealistico-romantica del realismo europeo nelle criptiche pulsazioni dell'inconscio, da cui discende la dissoluzione del personaggio tradizionale del romanzo storico e l'avvento dell'eroe negativo, l'Ulisse joyciano del romanzo psicologico, in cui la tessitura della trama è sostituita dal gioco dell'analogia e nella proustiana « intermittence du coeur » e nella visualizzazione kafkiana della tragica ambivalenza dell'inconscio, sviluppa le lezioni antesignane della letteratura del Novecento.

All'interno di opposte latitudini creative, in Germania Toller e Brecht, attraverso la poesia e il teatro, oggettiveranno la nuova tendenza rivoluzionaria e in Russia Majakovskij, prima del giro di vite stalinista, tenta di dare organizzazione artistica alla tematica della rivoluzione proletaria.

In Francia, l'alchimia scientifica, con cui i maestri del naturalismo, a partire da Émile Zola, tenteranno di radicalizzare il processo di adesione alla realtà attraverso la poetica della « tranche de vie », risulta corretta dal culto flaubertiano della forma intesa come vettore indispensabile dell'espressione artistica che, attraverso una serie di varianti psicologiche e strutturali, fornirà una maggiore consistenza umana alla tematica verista.

L'Italia letteraria, tra la fine dell'Ottocento e l'alba del nostro secolo, dopo aver realizzato l'unità politica, insegue l'unità culturale, sforzandosi di stimolare nella coscienza nazionale una responsabile attenzione verso i problemi della provincia, mentre attraverso l'indagine psicologica di Svevo cerca un punto di contatto con l'Europa.

Le prove piú valide della narrativa italiana nascono nell'ambito della realtà regionale, lungo una linea ideale che dalla Lombardia della scapigliatura milanese (in cui il turbamento emozionale per la tragedia dei diseredati rivelava i limiti del documentarismo realistico), alla Toscana proletaria di Mario Pratesi (che nei *Ricordi dell'arcipelago toscano* — 1890 — all'interno del conservatorismo granducale e papalino, innesta una sensibilità sociale che sfiora l'articolazione ideologica), alla Calabria di Padula, alla Sardegna della Deledda, alla Sicilia di Capuana, Verga e

De Roberto che, riproducendo, nell'inedito strutturarsi di una *Weltanschauung* meridionalistica, creature in lotta per la difesa, con i diritti naturali, della propria individualità, denunciano la sostanza egoistica delle classi sociali attraverso cui la narrativa borghese si produce in esibizioni pietistiche e indirettamente si trasforma in documento letterario dell'inquietudine di una categoria sociale, aggredita dall'indistinto sovversivismo dei diseredati.

Fatta eccezione per Svevo che già, con *Senilità* (1898), si sgancia dallo schematismo naturalistico, aprendo il labirinto psicologico alla sperimentazione romanzesca giocata sulle eterogenee probabilità del « romanzo da fare », e per Pirandello che nel *Fu Mattia Pascal* (1904) incomincia a declinare il relativismo esistenziale e morale dell'uomo del Novecento, travolto dall'assenza spirituale che invano tenta di colmare, attraverso una paradossale proliferazione inventiva in cui si riflette l'incapacità del personaggio ad epifanizzarsi, e che formula « una poetica del romanzo come movimento romanzesco »,[1] Tozzi nella sua prova piú complessa, *Con gli occhi chiusi* (1919), sulle logore formule veriste, innesta la crisi dell'uomo incapace di una presa naturalistica della realtà, il fallimento di razionalizzazione dell'assurdo e dell'invisibile, e suggerisce il rinnovamento delle strutture narrative nella proposta di un romanzo di tale crisi, in cui il personaggio oggettivo del verismo risulta sostituito dal personaggio in crisi.

Parallelamente in Italia vigono i postulati estetici de « La voce » (1908-1916), degenerati nel vitalismo dannunziano di « Lacerba » (1913-1915), i quali, pur tra le sfumature talvolta significative dei variegati orientamenti dell'avanguardismo fiorentino, soprattutto attraverso l'intransigenza derobertisiana de « La voce bianca » (1914-1916), volendo sostanzialmente incidere sulla linea di sviluppo della narrativa, soffocata dal dannunzianesimo imperante e dalle deviazioni futuriste, con la teorizzazione del « frammentismo lirico » che devastava l'organico tessuto strutturale, e mediante l'elaborazione di una sorta di calligrafismo impressionistico teso a condensare le oasi liriche dell'autobiografismo come nuclei autonomi di verità, generano

[1] G. Debenedetti, *Il romanzo del Novecento*, Milano, Garzanti, 1970, p. 334.

in realtà esiti antinarrativi, esemplarmente visibili nell'*Ignoto toscano* (1909) di A. Soffici che, immolando la dinamica della costruzione alla stratificazione di didascalie aeree e slegate, si risolve nella volatilizzazione architettonica e, conseguentemente, in un fallimentare tentativo di rilancio del romanzo.

L'anticonformismo programmatico della nuova generazione degli scrittori sedicenti rivoluzionari, come Papini, Soffici, Jahier, Boine, con l'enucleazione del momento lirico dal flusso armonico della narrazione, produce lo strangolamento del romanzo, ma il frammentismo vociano irradia i suoi influssi sul versante della poesia, concorrendo ad alimentare la sensibilità orfica di Campana, la lirica pura di Ungaretti e via via le voci piú alte della poesia moderna, anticipate nell'antologia del frammentismo *Poeti d'oggi* (1920) di Papini e Pancrazi, per estenuarsi nella purificazione totale della parola ermetica.

La restaurazione conservatrice de « La Ronda » (1919-1923), condotta all'insegna del neoclassicismo dagli ex-vociani Cardarelli, Cecchi, Baldini, Bacchelli, centrata sulla formulazione poetica della « prosa d'arte », inflaziona il vocianesimo e innalza la poesia a supremo genere letterario, isolandosi in una specie di provincialismo sordo alla suggestione dei fermenti culturali d'oltralpe e teso a creare un tipo di civiltà letteraria autonoma dal contesto politico.

In tale atmosfera in cui lo scrittore asetticizza sempre piú il proprio ruolo e le proprie scelte tematiche, Borgese, lanciando lo slogan « tempo di edificare », propone un modello di progettazione narrativa antiframmentaria e antivociana, fondata su una lineare struttura col personaggio solidificato in una completa parabola, e nel suo romanzo *Rubé* (1921) realizza le sue convinzioni estetiche, creando un tipo nuovo di protagonista, il personaggio inetto, in cui affiora la malattia borghese del tempo, attraverso il gioco complesso della segmentazione narrativa, svolta nei contrapposti registri, psicologico e sociale, della realtà.

Sotto la spinta di sollecitazioni in gran parte squisitamente estetiche, si registra una rivalutazione del Verga e nell'opera di Tozzi si riconosce un tentativo di rinnovamento nello sforzo di bulinare l'autobiografismo di fondo in un'ampia orchestrazione strutturale.

Con il consolidarsi dell'autarchia culturale incrementata

dal dogmatismo fascista, il processo di sprovincializzazione della nostra cultura e di europeizzazione del romanzo veniva isolatamente incentivato dal mensile gobettiano « Il Baretti » (1924-1926) che, rivoluzionando il rapporto tra politica e cultura mediante l'attuazione di un operaismo illuminato dal radicalismo dell'« intellighentia » borghese, volto a realizzare l'incompiuto progetto risorgimentale di rinnovamento della coscienza nazionale, stimola l'intellettuale ad operare le scelte letterarie nell'ambito della dinamica socio-politica, tracciando una proposta di letteratura civile, ispirata a principi di « chiarezza e di semplicità », in linea con tante prove della maggiore letteratura europea contemporanea.

Sulla necessità del collegamento con l'Europa, con itinerari e obiettivi molto diversi, insiste la rivista « 900 » (1926-1929) di Bontempelli che, attraverso i suoi trimestrali, scritti in francese, « Cahiers d'Italie et d'Europe » (a cui collaborarono, tra gli altri, Ramón Gómez de la Serna, James Joyce, Georg Kaiser, Pierre Mac Orlan, Il'ja Erenburg), sui superstiti impulsi dell'avanguardismo marinettiano, insabbia i residui fermenti vociani e il gusto classicheggiante de « La Ronda » e auspica un'arte oggettiva di evasione dall'isolamento culturale e di immersione nella piú vasta isola europea attraverso l'alchimistica evasione del « realismo magico », paradigmato da eteroclite tendenze « analogiche » per la creazione di una mitografia inedita in sintonia con la richiesta dei tempi nuovi, che rivitalizza il respiro del romanzo, all'insegna di una formula antistilistica.

Ma la breve esistenza di « 900 », durata nella sua formulazione iniziale solo quattro fascicoli, non si svincolò dalle pastoie del velleitarismo e fu presto risucchiata dal regime (settembre 1927) che, dopo le leggi speciali del 1926, scatena una spietata offensiva per estirpare ogni conato di libertà espressiva e, nella rozza polemica tra Strapaese e Stracittà, alimenta le effimere prove dell'accademismo.

Mentre la letteratura ufficiale del ventennio, ipotecata dall'attualismo idealistico di Gentile e dall'estetismo immaginifico di D'Annunzio che idolatrava il conformismo borghese, si isterilisce nella palude di un narcisistico calligrafismo o nello squallore della mitografia sessuale, « Solaria » (1926-1936) introduceva, nel circuito asfittico delle nostre lettere, la lezione della grande narrativa russa dell'800 e divulgava le opere della nuova letteratura americana che, con Whitman e Faulkner, Dos Passos e Melville, rivela il dramma umano di una categoria sociale violentata nei diritti naturali di « persona » dall'antropofagismo sociale delle istituzioni neocapitalistiche.

Nel clima internazionalistico suscitato dalla rivista fiorentina, con il riconoscimento di Tozzi e con la rivalutazione critica di Svevo operata da Montale, vengono liquidate le sclerotiche strutture del romanzo naturalistico e, se il tentativo solariano di creare una sovrastruttura letteraria ideale, come alternativa di salvezza all'atmosfera asfissiante del regime, si svena in una dimensione utopica, finendo col sottrarre all'impegno politico attivo le migliori energie intellettuali che potevano esercitare un'azione di rottura, accanto alla rivalutazione della linea Svevo-Tozzi-Pirandello riprende vitalità la linea regionale assorbendo la realtà meridionale nell'esigenza di « patirne » la verità, di misurarne la dimensione umana con un codice morale meno ottuso di un'ottica egoisticamente individuale, in cui si prefigura un rapporto diverso tra società borghese e mondo operaio e contadino che lieviterà i suoi esiti piú proficui nella letteratura della Resistenza.

Nell'ambito di tale area di sviluppo, la letteratura meridionale, erigendosi ad immagine speculare delle zone umane piú neglette e tuttavia piú vive dello sviluppo storico, abbatte il perimetro del provincialismo ed acquista un respiro europeo.

Vittorini, con *Erica e i suoi fratelli* (1936) e *Conversazione in Sicilia* (1938-1939), immerge in un clima favolistico e allegorico sorretto da un linguaggio profetico la coscienza ideologica della miseria meridionale, riuscendo a dilatare i confini categoriali del dolore in una tensione utopistica di riscatto del mondo offeso, attraverso un procedimento di interiorizzazione strutturale che piega la metafora in chiave gnoseologica, in cui il frondismo rivoluzionario del Vittorini « bargelliano » risulta volatilizzato nell'astrazione intellettuale dell'europeismo solariano.

Alvaro, dopo aver radiografato (*L'uomo nel labirinto*, 1926), sul filo dell'inquietitudine intellettuale, la crisi della borghesia post-bellica impegnata a mistificare la sconfitta con il recupero poetico della provincia, e salvato il personaggio dai rischi dell'estetismo dannunziano con la captazione dei lineamenti dell'antieroe joyciano, con *Gente in Aspromonte* (1930) dissolve lo schematismo naturalistico, ribaltando la disperazione meridionale del post-verghismo, e specificatamente della provincia calabrese, in una sfera di affabulazione lirica, attraverso un processo di elaborazione che sterilizza l'impulso ideologico nell'area asettica della strutturazione mitico-verista, in cui coesistono l'incidenza onirica del « realismo magico » bontempelliano, a cui Alvaro aderí, e l'utopia solariana maturata nel clima di ibernazione politica instaurato dal regime.

Moravia, con *Gli indifferenti* (1929), ripudiando il facile allettamento della retorica letteraria con il ritorno ad un'operazione realistica condotta oltre i confini del regionalismo, epifanizza, dentro le maglie della falsificazione ideologica, la tabe morale della borghesia, trascinato da una rabbia morale che si converte in implicita accusa, scandita con un linguaggio omologo ad una struttura da tragedia.

Una linea narrativa che, cercando di copulare sull'esigenza di fondo dell'evoluzione del proletariato l'indicazione gramsciana di una letteratura popolare, attenuerà la proiezione favolistica e la carica allusiva della rappresentazione a vantaggio della fedeltà del documento al senso concreto della storia, al fine di creare i presupposti di una nuova coscienza civile.

Romano Bilenchi, con *La siccità e la miseria* (1941), con *Il Conservatorio di S. Teresa* (1940) e soprattutto con *Il capofabbrica* (1935), sconfessa l'iniziale provincialismo « selvaggio » della *Vita di Pisto* (1931) e affonda l'indagine nella piú viva tematica sociale, senza tuttavia riuscire a tradurre nella scelta di una soluzione radicale l'esasperato conflitto interclassista, e contenendo la polemica rinuncia nell'ambito di un astorico appello all'onestà contro « la speculazione tollerata dal regime ».

In *Tre operai* (1934) di Bernari, la coscienza del fallimento del personaggio si converte in un inno alla pietà, dove però affiorano i lineamenti del nuovo realismo.

Pavese, con *Lavorare stanca* (1936) e con *Paesi tuoi* (1941), apre la sofferenza umana allo sfogo pseudo-colloquiale, paradigmato attraverso valide inflessioni di realismo linguistico.

Carlo Levi, nel *Cristo si è fermato a Eboli* (1945), dirotterà l'angoscia autobiografica, scaturita da una commossa partecipazione al dolore dei contadini meridionali, in una precisa accusa politica e piú vastamente in condanna dell'« aridità di una supposta condizione civile, quella occidentale, in cui la ragione si è fatta sterile tecnologia e ha perduto la possibilità della comprensione, la capacità di istituire rapporti attraverso i quali l'uomo si liberi dai suoi terrori e dai suoi luttuosi egoismi ».[2]

Pratolini dall'autobiografismo della memoria (*Il tappeto verde*, 1941 e *Via de' Magazzini*, 1942) si volge alla cosciente ricostruzione del passaggio del proletariato dall'esperienza anarchica all'organizzazione socialista, attraverso cui il nucleo ideologico della coscienza di classe organizza gli strumenti della lotta, e la sequenza cronachistica del primo Pratolini risulta diluita nell'ambiziosa progettazione storica.

All'interno di cosí rilevante patrimonio culturale, si muoverà la nuova generazione degli scrittori del Sud che non sempre riuscirà a depurare la realtà meridionale dagli orpelli del sentimentalismo verista e ad innestare sulla denuncia leviana proposte radicali.

Ma intorno agli anni trenta, mentre la polemica tra istanze contenutistiche ed esigenza formalista si appiattisce in una condizione di assenza della letteratura, in cui era implicito un netto rifiuto politico, o si degrada in una capitolazione edonistica dinanzi alle regalie del regime, Silone imbocca eroicamente la via dell'esilio e consegna alla limpida pagina di *Fontamara* (1930) le voci disperate dei cafoni della Marsica, riuscendo ad eseguire una progettazione letteraria, in cui l'urgenza ideologica carica la denuncia umana e sociale di necessità rivoluzionaria, attraverso un'esecuzione pienamente autonoma dagli sviluppi delle nostre lettere.

La lezione di *Fontamara*, oltre ad anticipare i fermenti ideologici di fondo della letteratura neorealista, fermenterà idealmente ne *Le terre del Sacramento* (1950) di Jovine,

[2] M. Miccinesi, *Invito alla lettura di Carlo Levi*, Milano, Mursia, 1977³, p. 75.

dove il ribellismo della campagna molisana dei primi anni del fascismo si articolerà in chiara coscienza rivoluzionaria.

LA VITA

In pochi scrittori come in Ignazio Silone la vicenda biografica costituisce in maniera trasparente il serbatoio tematico della propria narrativa, per cui, poiché *Fontamara* si colloca in un punto nodale della parabola esistenziale e ideologica dello scrittore abruzzese, si rende utile, per una interpretazione obiettiva della sua opera, tratteggiare le circostanze che hanno determinato le scelte politiche e letterarie piú importanti della sua vita.

Ignazio Silone (pseudonimo di Secondo Tranquilli) nasce a Pescina dei Marsi, in provincia dell'Aquila, il 1° maggio del 1900, da un piccolo proprietario di terre e da una tessitrice.

Il tipo di educazione cristiana inculcatogli dalla madre ed un piú realistico senso di giustizia acquisito dal padre, alcuni episodi dell'adolescenza, ricordati in *Uscita di sicurezza*,[3] come l'ingiustizia impunita subíta da una sarta aggredita dal cane del signorotto, l'ambiguità dell'insegnamento scolastico e catechistico, il clima di asfissia politica e la sadica repressione di ogni esigenza di libertà filigranano la genesi della vocazione « cafoniana » di Silone, ne incentivano le esplosioni ribellistiche contro le istituzioni liberali, espressioni del privilegio e del sopruso, provocano per affinità elettive la scelta decisa dei compagni.

Nel terremoto del gennaio 1915, che in pochi secondi seminò trentamila vittime, perde i genitori ed assiste ad una serie di mostruosità, tra cui il furto del portafoglio dal corpo della madre morta ad opera di uno zio e l'uccisione impunita di un suo parente da parte della moglie, che gli feriscono l'animo. Il giovane, esasperato, nel 1917 vanamente denuncia, dalle colonne dell'edizione romana dell'« Avanti! », in due articoli con vasto corredo di dati, le frodi e le malversazioni, perpetrate dagli ingegneri del Genio Civile di Avezzano, del denaro pubblico destinato alla ricostruzione edilizia.

[3] I. Silone, *Uscita di sicurezza*, Firenze, Vallecchi, 1965.

Il terzo articolo non viene nemmeno ospitato, per influenti pressioni sulla redazione del quotidiano socialista, per cui si ingigantisce la sua sfiducia verso lo Stato:

> « Lo Stato è sempre ruberia, camorra, privilegio, e non può essere altro ».[4]

Cosí amareggiato slitta verso scelte rivoluzionarie e, rimasto solo, trasferisce la dimora in una baracca del quartiere piú povero del Comune, isolato da un fosso emblematicamente denominato il Tagliamento, dove l'accesso alle autorità si rivela impervio, perché la comunità plebea ivi relegata cova una rabbia sociale pronta ad esplodere al primo urto.[5]

Qui il giovane Silone frequenta assiduamente la lega dei contadini, dove incomincia la milizia rivoluzionaria come scrivano, conosce Lazzaro, destinato a diventare un personaggio-chiave della sua opera, e, a contatto con le ansie e la miseria dei cafoni, approfondisce i motivi della sua maturazione interiore.

Dalla partecipazione affettiva al dolore e alla mortificazione storica della piccola comunità meridionale siglata dalla schiettezza e dall'anarchia, il processo di proletarizzazione, autonomamente accesosi nella sua coscienza prima ancora di conoscere le teorie sulla missione storica del proletariato, si sostanzia della persuasione che, in una società dominata dalla famelicità della borghesia, « i poveri rappresentassero l'estrema risorsa della vita »,[6] si ingigantisce il disgusto per l'apparato ecclesiastico trasformatosi in strumento di pressione psicologica al servizio del neo-patriziato, si alimenta la speranza in una nuova epoca di redenzione del proletariato contadino, incominciano ad agitarsi i nuclei tematici della narrativa siloniana che in *Fontamara* si proietteranno come necessità morale e si articoleranno in messaggio palingenetico.

Nel 1917 viene cooptato come segretario regionale della Federazione dei lavoratori della terra; è processato e imprigionato per aver capeggiato una violenta manifestazione contro la guerra. Trasferitosi a Roma diventa segretario

[4] *Ibidem*, p. 75.
[5] *Ibidem*, p. 72.
[6] *Ibidem*, p. 141.

della gioventú socialista, seguace di una linea di ispirazione leninista, e nel gennaio del 1920 viene nominato direttore del settimanale « L'Avanguardia ».

Nel 1921 aderisce al P.C.I. e da allora svolge un'intensa attività politica con l'ardore del neofita. Nei primi mesi del 1923 la repressione anticomunista scatenata dal fascismo porta alla soppressione dell'« Avanguardia » e Silone, attivamente ricercato, si trasferisce nella redazione de « Il Lavoratore » di Trieste che continua ad uscire, nonostante la violenza squadrista cerchi di soffocare nel sangue quell'eroica voce di lotta del proletariato.

Incomincia cosí il periodo della clandestinità per il cospiratore rivoluzionario spesso costretto a fuggire per sottrarsi alle persecuzioni del regime.

Tra il 1921 e il 1927 si reca piú volte in Russia membro di delegazioni comuniste italiane per partecipare a congressi e incontri. Negli anni 1923-24 svolge missioni di partito in Germania, Spagna e Francia. Nel 1925 cura con Gramsci l'ufficio stampa del P.C.I. e alla fine del 1926, quando il fascismo con l'emanazione delle leggi speciali liquida l'opposizione politica arrestando i maggiori avversari, tra cui Terracini, Bordiga e lo stesso Gramsci, Silone ottiene la segreteria del Centro interno del P.C.I., mentre a Togliatti viene affidata la direzione del Centro estero.

Nel maggio del 1927 partecipa a Mosca, con Togliatti, alla riunione dell'Esecutivo del Komintern che segna il trionfo delle tesi staliniane e mette in crisi l'omogeneità centrale del partito.

Denunziato piú volte al Tribunale Speciale, l'anno successivo, in cattive condizioni fisiche, dopo un breve soggiorno in Francia, si stabilisce in Svizzera ritirandosi a vita privata. Fra il 1926 e il 1929 svolge una notevole attività pubblicistica e scrive per la rivista parigina « Stato operaio » un'interessante anatomia del fascismo. Nel 1930, accusati di trotzkismo, vengono espulsi dal P.C.I. Tresso, Leonetti e Ravazzoli. Silone, che già ha coltivato dentro di sé motivi di dissenso verso il comunismo russo, responsabile a suo giudizio di un processo di gerarchizzazione delle decisioni politiche che elimina ogni illusione democratica di base, di una politica monolitica dell'Internazionale inconciliabile con le ragioni storiche del socialismo europeo e della collettivizzazione forzata della piccola e media proprietà contadina, si rifiuta di rilasciare una dichiarazione di condanna dei tre dirigenti fondatori del partito espulsi, respinge decisamente le sollecitazioni di Togliatti che responsabilmente lo esorta a riflettere sul carattere non arbitrario, ma estremamente oggettivo, delle « forme della rivoluzione proletaria » e viene espulso dal partito con un atto puramente formale, dal momento che da qualche tempo sostanzialmente se ne era allontanato.

Fino al 1940 rimane fuori da ogni organizzazione politica, dedicandosi interamente ad un'intensa attività letteraria e saggistica, tesa sempre ad approfondire le motivazioni della sua nuova scelta.

Nel 1931 fonda, in lingua tedesca, la rivista « Information » che dirige fino al 1933; nel 1936 collabora alla fondazione delle Nuove Edizioni di Capolago per la pubblicazione di testi per gli emigrati e nello stesso anno esce *Fontamara* che inizia la trilogia dell'esilio.

Nel 1936 a Zurigo pubblica in tedesco *Pane e vino* (il titolo nella edizione italiana del 1955 sarà *Vino e pane*) che sintetizza nella drammatica vicenda di Pietro Spina l'itinerario dello scrittore che, alle radici del suo attivismo rivoluzionario, scopre il ribollire di un'angoscia religiosa, nel momento in cui assiste al deteriorarsi delle ragioni che lo hanno spinto alla lotta dinanzi alla nuova tirannia ideologica, e rivisita il proprio retroterra culturale scoprendovi le solide venature di un cristianesimo primitivo.

Nel 1938 pubblica in tedesco *La scuola dei dittatori* dove il discorso sul fascismo si amplia in analisi delle cause del fenomeno totalitario del XX secolo estesa al nazismo e allo stalinismo, per cui il libro diventa una scuola di democrazia in cui gli intellettuali europei riconosceranno i germi della Resistenza.

Nel 1941, sempre a Zurigo e in tedesco, appare *Il seme sotto la neve* che completa il ciclo dell'esilio (il romanzo, dopo l'edizione italiana del 1942 per l'emigrazione presso le Nuove Edizioni di Capolago e l'edizione Faro di Roma del 1945, apparirà parzialmente riveduto presso Mondadori nel 1950 e nel 1961 definitivamente corretto). Nel libro prosegue la parabola di Pietro Spina che continua a massacrarsi nella ricerca delle ancestrali ragioni della rivolta ed approda ad una sorta di utopia sociale, intessuta di evangelismo « precristiano » e di socialismo preideologico, ed incarnata nella concezione di una società libera votata alla povertà e governata dall'amicizia, che in Abruzzo ritrova la sua ascendenza storica negli esempi di Gioacchino da Fiore, di Pietro da Morrone, degli Spirituali, dei Celestini, nel francescanesimo.

Emerge nei romanzi dell'esilio la verifica costante della validità del rifiuto di un'ideologia, la nuova posizione di antifascista intransigente, la scoperta di un patrimonio morale sorretto da una specie di pietismo quasi fisiologico, non regionalistico, ma universale.

Nel 1940 Silone inizia una nuova fase di milizia politica attiva, accettando di ricostruire e dirigere a Zurigo il Centro estero del P.S.I. Animato dal desiderio di riconvertire il ruolo storico del socialismo sottraendolo ai rischi del massimalismo e ad ogni forma di centralismo istituzionale, propone un modello di socialismo democratico e federativo, volto a garantire, in una ristrutturazione giuridica della società, il diritto all'autodeterminazione dei popoli. All'insegna di tale progetto, scatena numerosi attacchi contro quella parte dell'intellighentia occidentale asservita allo stalinismo, denuncia il fallimento storico del fascismo che ha lanciato il paese verso la catastrofe bellica, e nel dicembre del 1942 con un manifesto stilato per conto del P.S.I. incita gli italiani alla disobbedienza civile e, altrove, riesorta a fare appello alla propria responsabilità collettiva per liberare la società italiana dall'aggravio della dittatura.

In seguito alla richiesta di estradizione inoltrata dal governo fascista, viene prima arrestato per avere svolto attività politica e poi ricoverato in sanatorio a Davos e, dalla primavera del 1943 all'ottobre del 1944, viene internato nel campo profughi di Baden. Dal febbraio all'ottobre dello stesso anno dirige il quindicinale « L'avvenire dei lavoratori » di Zurigo, dalle cui colonne, accanto all'analisi critica degli errori del socialismo, esorta i lavoratori a non lasciarsi travolgere dal dissennato fanatismo antifascista che, stravolgendo i dolorosi lineamenti della realtà post-bellica, finirebbe con lo scatenare le forze della reazione e creerebbe le condizioni per il trionfo di un nuovo totalitarismo.

Nell'ottobre del 1944 rientra in Italia e viene cooptato nella direzione del P.S.I.U.P. sorto dalla fusione di alcuni gruppi del P.S.I. con il Movimento di Unità Proletaria e, con Saragat e Pertini, si oppone alla confluenza nel P.C.I. sostenuta da Nenni e Basso. Viene eletto deputato alla Costituente e chiamato a Roma alla direzione dell'« Avanti! » (1945-46) su proposta di R. Morandi.

Nel discorso « Solo la verità ci potrà salvare », pronunciato alla Radio alla fine del 1945, sostiene che l'Italia deve trovare la via della ricostruzione nella verità delle proprie sventure e a Nenni, che lancia lo slogan « la rivoluzione o il caos » risponde che all'antifascismo occorre sostituire il post-fascismo unendo le forze democratiche e repubblicane per potere costruire la vera democrazia.

Lasciata la direzione dell'« Avanti! », fonda la rivista « Europa Socialista » che dirige fino al 1949. Nel gennaio del 1947, quando le correnti minoritarie del P.S.I.U.P. in seguito alla scissione di Palazzo Barberini fondano il P.S.-L.I. e la maggioranza riassume la sigla di P.S.I., Silone assume una posizione autonoma e nel febbraio del 1949 fonda a Firenze il P.S.U. caratterizzato da un programma di rifiuto di ogni rigida ideologia, di recupero dei piú saldi valori della civiltà europea e di lotta contro tutte quelle forze che insidiano il rispetto della dignità umana.

Fusosi il P.S.U. con il partito di Saragat, Silone abbandona l'agone politico e nel discorso pronunciato a Milano nel luglio 1949 al Comitato Centrale di Comunità, rievocando le sue illusioni di socialista militante, sottolinea il fallimento del socialismo e si ritira definitivamente a dar voce letteraria ai fantasmi della sua vocazione di scrittore.

Negli anni '50, mentre si registrano i primi tentativi di dialogo tra Est e Ovest, Silone fonda e dirige la sezione italiana del movimento internazionale filo-americano « Per la Libertà della Cultura » che, dal 1956 al 1968, ha come emanazione la rivista « Tempo Presente », particolarmente sensibile alle voci del dissenso sovietico.

Intanto continua instancabile la sua attività di scrittore. Nel 1952 esce *Una manciata di more* (Mondadori) che, nella vicenda di Rocco de Donatis, funzionario del P.C.I., dipana il dramma dell'intellettuale di sinistra che, dopo l'illusione della lotta partigiana, scopre l'astrattezza ideologica e il machiavellismo operativo del suo partito pronto a sacrificare alle ragioni del potere ogni istanza di verità, e ritorna al vagheggiamento di una comunione affettiva con i cafoni, di ascendenza evangelica, in cui convoglia la sua passione sociale, il suo impegno di combattente per la libertà.

Nel 1956 pubblica *Il segreto di Luca* (Premio Salento 1957), un romanzo diverso nella tematica siloniana, una storia d'amore stilnovisticamente concepita e romanticamente tesa fino all'assurdo, dove la provincia meridionale risulta esplorata, con un'inedita tecnica poliziesca, nella sua segreta purezza, nel suo antico codice morale capace di innalzarsi fino alla tragedia.

Nel 1959 esce *La volpe e le camelie* (Mondadori) nella versione definitiva di romanzo dopo le stesure in racconto del 1934 e del 1958, ambientato in un paese del Canton Ticino, dove Silone visse a lungo in esilio, e che fu centro tra il 1930 e il 1935 di un'intensa emigrazione antifascista. Il romanzo, caratterizzato da un'apparente fragilità strutturale, attraverso un'inedita capacità di esplorazione dei meccanismi psicologici, rifrazione di una società democraticamente piú evoluta, al di sopra del dissidio politico delle parti scioglie l'indignazione morale dello scrittore in note di partecipazione totale al dolore e di pietà per il nemico.

Nel 1965, con *Uscita di sicurezza*, ricostruisce in chiave di confessione le circostanze e le ragioni sotterranee che hanno determinato le scelte piú importanti della sua storia, dall'adesione preideologica al marxismo alla lotta antifascista, alla fuga dal movimento comunista, alla salvezza nel recupero della sua vocazione di scrittore, all'impegno definitivo in difesa della libertà.

Nel 1968 Mondadori pubblica *L'avventura di un povero cristiano* (Premio Campiello) in cui, sotto i paludamenti del procedimento teatrale, Silone ripropone con estrema chiarezza la mappa delle sue coordinate tematiche e particolarmente nel rifiuto di Pietro da Morrone (papa Celestino V) ribadisce la condanna della Chiesa che, snaturatasi in istituzione, con il potere temporale è divenuta strumento di oppressione spirituale dell'uomo. Qui Silone rianima l'utopia dell'evangelismo anarchico, identificando nella spontaneità popolare ed ereticale la vera anima del cristianesimo.

Nel 1978 Silone muore a Ginevra. Uscirà postumo, nel 1981, *Severina*.

II

FONTAMARA

LA VICENDA E LE SUE STRUTTURE NARRATIVE

La vicenda di *Fontamara*[1] si sgrana in dieci capitoli di ampiezza irregolare preceduti da una prefazione, svolta dall'autore sotto forma di intervento diretto, che sintetizza i nuclei tematici, le strutture narrative e gli strumenti linguistici adoperati per solidificare nelle volute della configurazione artistica le immagini straziate dell'ispirazione.

Sfuggendo all'ambiguità della sovrapposizione saggistica, Silone nella nota introduttiva, attraverso una tecnica centrata sull'osservazione critica e sui supporti della memoria, stratificati in tal modo come strutture di base della narrazione, indica la collocazione geografica, i connotati topografici, la genesi sociale, le peculiarità della vita e del costume, distilla le note del bilancio morale che innalzano *Fontamara* ad emblema del meridione di tutto il mondo:

> « Fontamara somiglia dunque, per molti lati, a ogni villaggio meridionale il quale sia un po' fuori mano, tra il piano e la montagna, fuori delle vie del traffico, quindi un po' piú arretrato e misero e abbandonato degli altri. Ma Fontamara ha pure aspetti particolari. Allo stesso modo, i contadini poveri, gli uomini che fanno fruttificare la terra e soffrono la fame, i fellahin i coolies i peones i mugic i cafoni, si somigliano in tutti i paesi del mondo; sono, sulla faccia della terra, nazione a sé, razza a sé, chiesa a

[1] I. Silone, *Fontamara*, Milano, Oscar Mondadori, 1977⁸.

sé; eppure non si sono ancora visti due poveri in tutto identici » (pp. 19-20).

Già emerge il plasma sociale della vocazione dello scrittore che nella tematica meridionalistica fa risuonare le sue piú sofferte vibrazioni. Dopo l'enunciazione cattedratica imperniata sulla postulazione lineare, lo scrittore affida alla scarna geometria urbana la declinazione « fisica » della miseria:

> « A chi sale a Fontamara dal piano del Fucino il villaggio appare disposto sul fianco della montagna grigia brulla e arida come su una gradinata. Dal piano sono ben visibili le porte e le finestre della maggior parte delle case: un centinaio di casucce quasi tutte a un piano, irregolari, informi, annerite dal tempo e sgretolate dal vento, dalla pioggia, dagli incendi, coi tetti malcoperti da tegole e rottami d'ogni sorta. La maggior parte di quelle catapecchie non hanno che un'apertura che serve da porta, da finestra e da camino. Nell'interno, per lo piú senza pavimento, con i muri a secco, abitano, dormono, mangiano, procreano, talvolta nello stesso vano, gli uomini, le donne, i loro figli, le capre, le galline, i porci, gli asini. Fanno eccezione una diecina di case di piccoli proprietari e un antico palazzo ora disabitato, quasi cadente. La parte superiore di Fontamara è dominata dalla chiesa col campanile e da una piazzetta a terrazzo, alla quale si arriva per una via ripida che attraversa l'intero abitato, e che è l'unica via dove possano transitare i carri. Ai fianchi di questa sono stretti vicoli laterali, per lo piú a scale, scoscesi, brevi, coi tetti delle case che quasi si toccano e lasciano appena scorgere il cielo » (pp. 20-21).

Affiorano gli aspetti piú drammatici del mondo contadino meridionale, attraverso cui i cafoni risultano inchiodati nei parametri di una condizione zoologica che per secoli ha bloccato una categoria sociale nell'ergastolo di massa indistinta, assuefatta al dolore e al sopruso.

La schedina sociale di *Fontamara* appare estremamente semplificata e disciplinata da un feudale codice di vassallaggio che sembra impossibile sovvertire a causa dell'immobilismo fatalistico:

> « La scala sociale non conosce a Fontamara che due piuoli: la condizione dei cafoni, raso terra, e, un pochino piú su, quella dei piccoli proprietari. Su questi due piuoli si spartiscono anche gli artigiani: un pochino piú su i meno poveri, quelli che hanno una botteguccia e qualche rudimentale utensile; per strada, gli altri. Durante varie generazioni i cafoni, i braccianti, i manovali, gli artigiani poveri si piegano a sforzi, a privazioni, a sacrifici inauditi per salire quel gradino infimo della scala sociale; ma raramente vi riescono » (p. 22).

La storia del piccolo villaggio della Marsica si dipana da tempo immemorabile attraverso un rosario di frustrazioni, di mortificazioni fisiche, di lotta estenuante per la sopravvivenza contro l'aridità della terra e l'inclemenza del tempo, contro il disagio scaturito dalla psicosi delle proprie inibizioni di massa circoscritta nel perimetro dell'istintivismo consustanziale alla precettistica morale.

All'assenteismo previdenziale dello stato, conosciuto soltanto come autorità tirannica e « antropofagica », i cafoni contrappongono anarchici impulsi di evasione e cercano di emendarsi dalla degradazione sociale, mediante la difficile terapia del matrimonio con le figlie dei piccoli proprietari, ma quasi sempre i pochi « fortunati » evasori precipitano nei limbici gironi d'origine per l'atavica avversione del tempo e del luogo.

Il prosciugamento del lago Fucino, provocando l'abbassamento della temperatura nella Marsica, ha danneggiato irreparabilmente le poche risorse agricole dei monti vicini assoggettate a metodi arcaici di conduzione, e la mancata assegnazione delle terre risanate ai contadini colpiti, voluta dal regime filo-latifondista che ha favorito la gestione « coloniale » dei Torlonia, ha accentuato il fenomeno dell'indebitamento reso indispensabile dall'inderogabilità delle esigenze biologiche, accrescendo l'irritazione esistenziale dei cafoni. Ogni conato sentimentale e metafisico risulta cosí sacrificato alla assuefazione psicologica alle necessità fisiologiche, e all'esplosione di un'ancestrale esasperazione che si manifesta in atteggiamenti di ostilità per motivi banali, in liti secolari per il possesso di un cespuglio, attraverso cui si neutralizzano nell'immediatezza istintuale gli effetti dell'emarginazione e della schiavitú.

La realtà di *Fontamara*, nel disegno programmatico di Silone, risulta cosí destituita di ogni venatura folclorica e polemica ed il romanzo, fin dalle prime pagine, tende a denunciare la falsità di ogni immagine pittoresca dell'Italia meridionale e a dar voce e figura alla tragedia di creature negate alla gioia e condannate, ancor prima di nascere, a concimare la sete di affermazione della prevaricazione borghese.

Questa realtà, su cui lo scrittore ha cronometrato la sua sensibilità, e che ha tramutato la sua inquietudine intellettuale in decisione politica e in rivolta morale, costituisce il substrato umano e culturale dell'esplorazione condotta con le risorse di un linguaggio che non adultera la sorgiva spontaneità dei pensieri e riproduce fedelmente i processi espressivi nella loro genuina motivazione psicologica, riportando atti, scelte, reazioni e comportamenti alla radice della stipulazione linguistica.

La linearità linguistica e strutturale, riscattata da ogni forzatura baroccheggiante, diventa strumento di fedeltà alla piú autentica realtà popolare che rafforza la dimensione morale dell'impegno narrativo, per cui il resoconto dei tre fontamaresi (Giuvà, Matalé e il figlio), sfuggiti alla tragedia di Fontamara per testimoniare e riaccendere la speranza nella lotta contro il sopruso e il fascismo, si insedia come finzione letteraria abilmente orchestrata dallo scrittore per dare una piú realistica e coesiva impronta d'arte alla sua sotterranea disperazione, si articola come voce della coscienza ripiegata nell'uragano del ricordo a decifrare, al di là della nuda cronaca, nelle complesse manifestazioni del destino, i segni di un'ipotesi di rinnovamento.

La storia muove dall'irruzione, nel mondo arcaico e feudale di Fontamara, di un regime nuovo, il fascismo, che, sotto la vernice di una maggiore efficienza legalitaria, opera selvaggiamente in nome della legge, non ritraendosi dalla violenza e dall'illegalità.

Il romanzo si articola sulla finzione dei tre fontamaresi scampati alla catastrofe finale del villaggio, che raccontano a Silone in esilio gli « strani » avvenimenti accaduti a Fontamara prima della strage ordinata dalle autorità, e si può idealmente annodare su tre piani: sul primo scivola la vicenda collettiva del villaggio, dalle manifestazioni concrete della doppiezza del nuovo regime scandita dal susseguirsi dei raggiri, alla fraudolenta spoliazione dell'acqua del ruscello che irriga i campi dei cafoni, alla rivolta delle donne; sul secondo potrebbe annotarsi l'itinerario esistenziale di Berardo Viola, dalla disorganica manifestazione dell'istintivo ribellismo alla lenta maturazione della responsabilità di classe spinta fino al martirio, all'interno del quale si iscrivono la storia d'amore con Elvira e la ferocia del regime; sul terzo, svolto come sintesi dei primi due, ritorna protagonista la popolazione di Fontamara che, ammaestrata dalla lezione di coraggio di Berardo, imbocca il sentiero della lotta e si avvia eroicamente al sacrificio.

All'interno di tale scomposizione scorre la filigrana di un disegno ideale che funge da struttura di fondo della progettazione narrativa: l'esplosione disorganizzata delle masse contadine, costantemente sfruttate dai governi borghesi dell'Italia post-risorgimentale e fascista, la lenta presa di coscienza dei diritti civili da parte degli oppressi, attraverso il processo di culturizzazione e di responsabilizzazione collettiva avviato dal movimento marxista, lo sforzo tenace e costoso di organizzarsi in una solida ed efficiente struttura di partito che esigerà l'obolo di molte vittime per creare i presupposti positivi della rivoluzione di classe. E attraverso una decodificazione piú marcatamente ideologica è possibile avvertire la tormentata linea di marcia del movimento socialista, che dalle forme irrazionali dell'anarchismo sindacale confluisce nelle stazioni del marxismo a lungo oscillante tra radicalismo rivoluzionario e attesa bernsteiniana (se non temessimo di apparire capziosi, coglieremmo la manifestazione « preideologica » della disperazione sociale nel conflitto interiore di Berardo dilaniato dalla spinta interiore alla rivolta e dal ripiegamento verso un concetto borghese del sentimento) e che sceglie il proprio ruolo storico nella strategia della catechizzazione delle masse per l'affermazione di principi para-marxisti.

Procediamo con ordine. Il sipario si squarcia su Fontamara all'inizio del giugno 1929 e rivela un avvenimento inedito nella quiete apparente della provincia abruzzese, il « taglio » dell'energia elettrica in seguito al mancato pagamento delle bollette recapitate piú volte in paese dal cursore comunale Innocenzo La Legge, che ha rischiato di perdere la vita in un attentato orditogli dai fontamaresi esasperati perché non possiedono i mezzi finanziari per pagare.

Con quest'atto di violenza perpetrato dalle istituzioni, Fontamara precipita nel buio e i cafoni, mutilati di un beneficio del progresso ritenuto ormai vitale per le loro abitudini, rincasando al tramonto dai campi, percepiscono le rifrazioni involutive dell'avvenimento nella progressiva diluizione dei connotati geometrici del villaggio nel magma della realtà circostante, per effetto della scomparsa della illuminazione:

> « Ma noi che tornavamo dal lavoro — quelli che erano stati al mulino e tornavano per la strada rotabile, quelli che erano stati alla contrada del cimitero e tornavano giú dalla montagna, quelli che erano stati alla cava di sabbia e tornavano costeggiando il fosso, quelli che erano stati a giornata e tornavano un po' da tutte le parti — a mano a mano che si faceva scuro e vedevamo le luci dei paesi vicini accendersi e Fontamara sbiadirsi, velarsi, annebbiarsi, confondersi con le rocce, con le fratte, con i mucchi di letame, capimmo subito di che si trattava » (p. 35).

Notevole, sotto il profilo dell'elaborazione, l'inflessione impressionistica che sigla la novità dell'avvenimento e che sembra irradiare, nell'improvvisa metamorfosi della realtà naturale, le contemporanee pulsazioni dell'inconscio. La tecnica risulta costante nelle pagine del romanzo ed interviene puntualmente ad evidenziare la condizione di disagio psicologico o morale dei cafoni dinanzi al verificarsi di eventi catastrofici, da loro presentiti e temuti. Si stabilisce allora (e ciò accade frequentemente) una sorta di sistole e diastole tra il reale « status » interiore, che non risulta esplorato con gli strumenti della indagine psicologica, e la realtà oggettiva percorsa da una quasi magica animazione.

La voce narrante, che spesso si pluralizza oggettivamente in una esigenza di assolutizzazione, enuclea dall'evento l'implicazione storica istintivamente avvertita dalla sapienza contadina, forgiatasi attraverso la riflessione realistica dell'esperienza:

> « I giovani non conoscono la storia, ma noi vecchi la conosciamo. Tutte le novità portateci dai Piemontesi in settant'anni si riducono insomma a due: la luce elettrica e le sigarette. La luce elettrica se la sono ripresa. Le sigarette? Si possa soffocare chi le ha fumate una sola volta » (p. 33).

Dalle scarnificate considerazioni, tuttavia, traspare la tendenza involutiva del potere che promuove una politica a favore della plutocrazia agraria e industriale, disastrosa per l'economia del Mezzogiorno costantemente assoggettato alla rapacità del fiscalismo e alla sperequazione di Stato, anziché una razionale operazione di bonifica sociale, con la creazione di strutture adeguate, del ghetto in cui lo aveva relegato, tra gli ultimi, l'ottusità borbonica e sabaudo-liberale.

L'allarmata denuncia di sensibili uomini politici, come Villari, Salvemini, Gramsci, ecc. della questione meridionale rimaneva cosí congelata nell'area delle statistiche e la nuova sterzata reazionaria, emergente dall'elementare bilancio di Giuvà, sottolinea un'ulteriore pagina del fallimento delle motivazioni ideali del Risorgimento.

Mentre i fontamaresi danno libero sfogo all'indignazione per il taglio della luce e per le tasse, seduti attorno al tavolo davanti alla cantina di Marietta, come in una specie di assemblea da *polis* greca, sopraggiunge un forestiero, il cav. Pelino che, con subdole argomentazioni, vince la diffidenza dei cafoni verso gli stranieri e fa loro sottoscrivere fideisticamente una pseudo-petizione (in realtà un foglio bianco su cui poi invece risulterà l'atto di donazione all'Impresario delle acque che irrigano le terre dei fontamaresi).

Alla fine il forestiero, che in realtà è un funzionario del fascio, traendo pretesto dalla presenza di un pidocchio sul foglio rimasto sul tavolo, cerca di provocare i cafoni, con il taciuto proposito di scatenare una violenta repressione da parte delle autorità. Ma il tentativo naufraga stimolando l'ironica precisazione di Marietta:

« Strano. Mi sembra di una nuova specie. Piú scura, piú lunga, con una croce sulla schiena » (p. 44).

A questo punto, Michele Zompa riesuma la storia dell'origine dei pidocchi e sottolinea come l'apparizione di una nuova specie costituisse la conseguenza di ogni rivoluzione, per cui, rintracciando nella presenza del pidocchio « diverso » la spiegazione di un suo sogno, si accinge a raccontarlo, mentre tutti l'ascoltano quasi esprimesse le loro opinioni. Il sogno riproduce un dialogo tra il Papa e il Crocifisso svoltosi subito dopo la riconciliazione tra lo Stato e la Chiesa, quando le allocuzioni festive dei parroci erano infarcite delle promesse di una nuova era per i cafoni. In esso, alla benevola disposizione di Cristo che vorrebbe emendare la condizione dei cafoni, con la distribuzione delle terre del Fucino, con l'esenzione fiscale e con abbondanti raccolti, fa riscontro l'atteggiamento del Pontefice che fa assegnare loro una manciata di pidocchi, per poterli impegnare a grattarsi nei momenti della tentazione del peccato.

Occorre a questo punto sottolineare la tecnica di introduzione del personaggio nella dinamica della narrazione, caratterizzata dalla veloce sintesi dei piú marcati connotati fisici, dalla collocazione nel ruolo che il personaggio è chiamato ad incarnare e infine dalla rivelazione del nome che lo qualifica piú nella identità di elemento organico in una funzionalità circolare, che come individualità emergente nel tessuto corale della vicenda; e quando quest'ultima ipotesi sembra affiorare, come nella realizzazione della figura del cav. Pelino, si rende necessario interpretare i segni individuali come indice di rispecchiamento della vicenda collettiva.

« D'aspetto era un giovanotto elegantino. Aveva una faccia delicata, rasata, una boccuccia rosea, come un gatto. Con una mano teneva la bicicletta per il manubrio, e la mano era piccola, viscida, come la pancia delle lucertole, e su un dito portava un grande anello, da monsignore. Sulle scarpe portava delle ghette bianche. Un'apparizione incomprensibile, a quell'ora » (pp. 36-37).

L'intonazione vezzeggiativa, l'aggettivazione ironica e l'apertura analogica alla campionatura zoologica e all'autorità ecclesiastica concorrono a paradigmare la carica polemica e la componente caricaturale della narrativa siloniana particolarmente obbiettivate nell'accusa contro la gerarchizzazione delle istituzioni ecclesiastiche e politiche.

Si vedano, nel sogno di Michele Zompa, le declinazioni favolistico-grottesche della religiosità popolare (o altrove la leggendaria storia di S. Giuseppe da Copertino, il santo dei cafoni) sostanziata da una specie di evangelismo blasfemo, astorico e aconfessionale, a cui si affianca, attraverso la spirale del sarcasmo e del grottesco, la condanna dell'asservimento della Chiesa all'aristocrazia fascista.

E, attraverso la classificazione politico-sociale dello stesso Zompa, ottenuta con un procedimento analitico, polemico e aculturale, si capti il disprezzo viscerale verso le degenerazioni politiche dei sistemi che hanno inchiodato i contadini dell'Abruzzo in una gattopardesca cristallizzazione di schiavitú sub-umana:

> « "In capo a tutti c'è Dio, padrone del cielo. Questo ognuno lo sa.
> "Poi viene il principe Torlonia, padrone della terra.
> "Poi vengono le guardie del principe.
> "Poi vengono i cani delle guardie del principe.
> "Poi, nulla.
> "Poi, ancora nulla.
> "Poi, ancora nulla.
> "Poi, vengono i cafoni.
> "E si può dire ch'è finito".
> "Ma le autorità dove le metti?" chiese ancora piú irritato il forestiero.
> "Le autorità" intervenne a spiegare Ponzio Pilato "si dividono tra il terzo e il quarto posto. Secondo la paga. Il quarto posto (quello dei cani) è immenso. Questo ognuno lo sa" » (pp. 47-48).

L'inserto aneddotico-favolistico e la dilatazione farsesca, che sin dal primo capitolo infiammano la linea centrale degli eventi, decantano sul pentagramma didascalico dell'epopea l'intrico concettuale o la troppo tesa corda drammatica, salvando l'ordito da rotture suicide e dissennate o scandendo la tragedia con gli avvolgimenti della satira.

La storia cosí si espande attraverso *rendez-vous* visivi e una asciutta intersecazione biologica stimolata dallo scatto degli interrogativi attorno al plasma misterico dell'episodio che sfugge alla catalogazione nel cliché dell'esperienza contadina. Nel corso delle *agorà* improvvisate, la lenta maturazione della solidarietà di classe sembra cosí dilatarsi in un ideale progetto di democrazia diretta prefigurata nella partecipazione corale dei cafoni all'incalzare del dramma. Una coralità che sempre piú imprimerà alla massa caotica i segni di una differenziata identità sociale.

All'alba del giorno successivo alla missione del cav. Pelino, i cantonieri del Comune deviano l'acqua del ruscello verso le terre prima appartenute a don Carlo Magna, un ricco proprietario in decadenza del capoluogo, e da una settimana acquistate a poco prezzo dall'Impresario. Costui è uno straniero venuto ad Avezzano da tre anni che, alternando l'attività commerciale a quella industriale, ha accumulato ingenti ricchezze operando colossali speculazioni sotto la protezione delle banche, e che il fascismo, teso ad ispessire la ragnatela capitalistica, ingloba nei suoi quadri dirigenti con la nomina a podestà.

Folgorate dalla sorprendente operazione di deviazione del ruscello che condanna alla siccità i loro orti, le donne di Fontamara, mentre gli uomini sono nei campi impegnati nei faticosi lavori del mese di giugno, stringono le fila della rivolta e, sotto la guida stimolante e orgogliosa di Marietta, organizzano la marcia sul capoluogo per parlamentare con il sindaco. La loro richiesta suscita il sarcasmo degli impiegati comunali e dei cittadini che, eccitati dalla totale ignoranza delle cafone intorno alla mutata realtà politica, le sottopongono al supplizio delle beffe culminate nello scherzo della fontanella con cui impediscono di bere alle assetate fontamaresi, allibite dinanzi alla sparizione dell'acqua quando esse vi si avvicinano per dissetarsi.

La *routine* delle mortificazioni continua a macinare i sentimenti delle donne che rotolano per le vie del capoluogo in una specie di *via crucis* alla ricerca del rappresentante della legalità da cui sperano di ottenere giustizia. Dopo aver appreso da donna Clorinda, moglie di don Carlo

Magna, la notizia della delazione delle terre, approdano alla villa del nuovo proprietario, dove si festeggia l'incarico di podestà affidato all'Impresario che, invece, è alla fabbrica di mattoni per curare i suoi interessi. Inchiodate al di là del cancello, le donne odono il frastuono della festa, le grasse risate dei commensali, il tintinnio delle posate, il progressivo sfumare della ubriachezza che rovescia nel giardino della villa carcasse pencolanti di esseri in atteggiamenti meschini. Sfilano gli ottimati della città, tra cui il parroco don Abbacchio e l'avvocato don Circostanza che saluta le donne con un'esclamazione melensa: « Viva, viva le mie Fontamaresi! » (p. 79).

Appena le donne si accorgono che le autorità stanno allontanandosi senza curarsi di loro, incominciano a lanciare sassi contro la finestra. In quell'attimo arriva l'Impresario che le esorta alla calma, dichiarandosi disponibile per ogni spiegazione. Dopo avere ascoltato, con simulata attenzione, le ragioni dell'insurrezione, il segretario comunale spiega che l'acqua sarà utilizzata dai latifondisti del capoluogo ed elogia i cafoni che con la « spontanea » donazione si sono resi benemeriti verso l'interesse supremo della produzione. Ora la rabbia ribolle nel petto delle donne ed è sul punto di schiumare, quando don Circostanza, il falso amico del popolo, espressione del piú untuoso trasformismo politico, riesce a sedare i fermenti della rivolta, con la subdola proposta di una ripartizione egalitaria dell'acqua che in realtà si traduce in una nuova frode mascherata dalla falsità della equazione delle cifre:

> « Bisogna lasciare al podestà i tre quarti dell'acqua del ruscello e i tre quarti dell'acqua che resta saranno per i Fontamaresi. Cosí gli uni e gli altri avranno tre quarti, cioè, un po' di piú della metà » (p. 88).

A questo punto le due realtà che hanno parallelamente percorso il canovaccio di *Fontamara* si sono incrociate: da una parte i poveri che, per ragioni di vita, si scuotono dal letargo della miseria, inseguendo, prima attraverso il dialogo con le autorità, poi con un aperto atteggiamento di rivolta, la liberazione dal sopruso e la garanzia del diritto all'esistenza; dall'altra, il fascismo che, sotto la vernice del populismo, agevola le ruberie e gli intrallazzi di avvoltoi quali l'Impresario, che concimano la loro spregiudicatezza speculativa egemonizzando le leve del potere.

L'Impresario che, con il sostegno finanziario delle banche, continua ad acquistare terre a prezzo di strozzinaggio e, rendendole irrigue con l'acqua sottratta illegalmente agli orti dei cafoni, si è in breve tempo arricchito, raffigura la classe dirigente attraverso la quale si esprime il fascismo: un manipolo di intrallazzatori, di qualunquisti, di profittatori, di individui spregiudicati e spietati che hanno trasformato il potere in strumento di arricchimento personale e legiferano per legalizzare lo sfruttamento e la prevaricazione, rispondendo in maniera distorta alla fiammata delle istanze sociali del dopoguerra.

Tra i due poli s'inserisce lo stuolo degli ottimati che simbolicamente sfilano nel giardino dell'Impresario dopo il banchetto: un avvocato, il farmacista, il collettore delle imposte, l'ufficiale postale, il notaio, ma soprattutto il curato don Abbacchio e l'ex sindaco don Circostanza che rappresentano la religione e la legge, impegnati a svolgere una azione di ammorbidimento tra le due realtà, per non turbare gli arcaici equilibri sociali, all'insegna del qualunquismo e del compromesso.

Dietro le differenziazioni individuali c'è una realtà istituzionalizzata, divenuta complice di chi comanda per goderne i privilegi, che contribuisce a stringere il cerchio della disperazione e della solitudine attorno ai cafoni e contro la quale si scaglia la satira dello scrittore.

All'estremità della parabola discendente del mondo contadino, che coincide con la dinamica ascensionale del neopatriziato fascista, prende quota la vicenda emblematica di Berardo che invade il secondo piano ideale del racconto.

Essa si snoda su due traiettorie, che si intersecano con necessaria naturalezza, attraverso cui scorrono la storia pubblica del giovane eroe, dal ribellismo preideologico alla maturazione della coscienza di classe, alla responsabile scelta del martirio; e la storia privata, la sua storia d'amore con Elvira, che apre nella drammatica tensione politica una parentesi di intenso lirismo, esprimendo, nella sua purezza votata al sacrificio, gli alti valori morali della civiltà contadina.

Fin dalle prime pagine, l'ombra del giovane aleggia su Fontamara e suscita speranza in chi ha subito un torto.

Nipote del brigante Viola giustiziato dai piemontesi, egli sembra perseguitato da un destino avverso. Dotato di un'alta dose di altruismo, diviene presto il *leader* naturale dei giovani e prova una grande delusione in seguito al tradimento di un amico da lui difeso in una rissa; per cui, amareggiato, vende quel poco che possiede per risarcire le parti lese e decide di partire per l'America. Ma le nuove leggi proibizionistiche gli impediscono l'espatrio e lo costringono a tornare a Fontamara, dove a poco prezzo riesce a farsi assegnare, con l'aiuto di don Circostanza, un pezzo di terra incolta sulla montagna nella contrada dei Serpari. Lottando tenacemente contro la durezza del suolo, con fatiche bestiali riesce a farlo fruttificare e quando già le piantine di granturco invadono la contrada arida a memoria d'uomo, l'alluvione gli porta via il campicello. Berardo ne rimane sconvolto e, condannato a subire quotidianamente la vergogna di cafone senza terra in un ambiente che nel possesso della terra alimenta il mito della capacità dell'uomo, si riduce a ragionare come chi non ha piú nulla da perdere. Ad ogni « costituzionale » sopruso contrappone anonimi congegni di giustizia: all'illegittima appropriazione del « tratturo » da parte dell'Impresario, risponde con due incendi consecutivi della staccionata di legno ivi innalzata dal Comune; alla rappresaglia fascista su Fontamara, replica sbarrando la strada con un tronco che fa ribaltare un camion provocando alcuni feriti nella « squadra punitiva ». Insomma, ogni prepotenza « nera » viene punita da un atto di giustizia di Berardo che, nell'atmosfera di mistero in cui viene consumato, acquista il significato di miracolo agli occhi dei cafoni, educati cosí al coraggio contro il potere da loro fino ad ora ritenuto invincibile ed astratto.

La condizione di nullatenente impedisce al giovane di rivelare ad Elvira il suo sentimento che, perciò, si alimenta dolcestilnovisticamente di intese visive, di segreti palpiti ad ogni casuale occasione di incontro, ed esplode in manifestazioni di violenza, quando qualcuno pronuncia inopportunamente il nome della ragazza o manifesta la volontà di sposarla. Ne consegue un costante stritolamento psicologico rilevabile nel comportamento del giovane che accentua l'articolazione del suo attivismo eversivo e formula un « artigianale » disegno rivoluzionario fondato sul dogma della violenza come strumento di rivendicazione del diritto di classe che esclude la contrattazione democratica e il compromesso. In virtú di tale scelta, Berardo indica la strategia della progressiva radicalizzazione dello strumento di lotta:

> « I giornalieri che si mettono a discutere col padrone, pèrdono tempo. La paga diminuisce ugualmente. Un padrone non si fa mai commuovere da ragionamenti. Un padrone si regola secondo l'interesse. [...] Per la pulitura del grano, la paga dei ragazzi è stata scesa da sette a cinque lire. Dietro mio consiglio, i ragazzi non han protestato, ma invece di sradicare la gramigna, l'hanno semplicemente ricoperta di terra. Dopo le piogge d'aprile i padroni si sono avvisti che la gramigna era piú alta del grano. Quel poco che credevano di aver guadagnato diminuendo la paga, lo perderanno dieci volte fra alcune settimane, quando trebbieranno » (pp. 104-105)

e al furto dell'acqua suggerisce di contrapporre la prassi della rappresaglia, spinta fino all'eliminazione fisica dell'Impresario, per il ripristino di un sacrosanto diritto:

> « Mettetegli fuoco alla conceria e vi restituirà l'acqua senza discutere. E se non capisce l'argomento, mettetegli fuoco al deposito dei legnami. E se non gli basta, con una mina fategli saltare la fornace dei mattoni. E se è un idiota e continua a non capire, bruciategli la villa, di notte, quando è a letto con donna Rosalia. Solo cosí riavrete l'acqua. Se non lo fate, verrà il giorno che l'Impresario vi prenderà le figlie e le venderà al mercato » (p. 105).

Il suo radicalismo rivoluzionario all'inizio viene accolto scetticamente dai fontamaresi che, attraverso un'orale trasmissione di saggezza, hanno acquisito la consapevolezza della propria estraneità ai processi evolutivi della storia che li ha archiviati sempre come soggetti passivi nei rivolgimenti politici che hanno portato al potere nuovi padroni:

> « cosí dalle nostre parti, come raccontano i vecchi, i Borboni avevano preso il posto degli spagnoli e i

piemontesi il posto dei Borboni. Ma donde provenissero e di che nazione fossero i nuovi governanti, a Fontamara non si sapeva ancora con certezza» (pp. 128-129).

Il nuovo regime viene avvertito come astratta entità prevaricatrice che utilizza un'inedita strumentazione retorica ed ostenta una ipocrita vocazione sociale, attraverso cui in realtà mimetizza la folle aggressione ad ogni residuo spazio di libera fermentazione delle necessità degli oppressi, all'insegna di un trasformistico obiettivo neocapitalistico che storicamente sigla la fase di necrotizzazione dell'utopia popolare del nascente fascismo.

Si osservi la pantomima della distribuzione delle terre del Fucino subdolamente montata dalle autorità del capoluogo per fare accorrere ad Avezzano oceaniche masse popolari (manifestazioni predilette dalla retorica pubblicistica del regime) in occasione della visita del ministro, in realtà inviato da Roma per vidimare l'operazione di espulsione dalla terra dei miserabili che non hanno i mezzi finanziari per coltivarla e di assegnazione dei campi, rapacemente sottratti, alla ristrettissima oligarchia del capitalismo agrario di cui il fascismo è la naturale incarnazione politica. Emerge, in queste pagine, l'assoluta mancanza di collegamento del regime con la realtà sociale del paese, ravvisabile non solo nella codificazione del tradimento delle speranze contadine che condanna i cafoni alla fame e conseguentemente alla cancellazione fisica dalla gleba, ma anche nella fustigazione psicologica della plebe abruzzese aggredita dal coro delle beffe dei cittadini (in cui i fontamaresi identificano le origini repressive del potere), ogni volta che l'ignoranza incolpevole dei cafoni commuta il linguaggio della retorica fascista con la terminologia dei paramenti ecclesiastici: il gagliardetto con lo stendardo di S. Rocco e gli uomini in camicia nera, che reggono le bandiere nere con il teschio, con la necrotica immagine dei loro morti-vivi.

Qui, come altrove, le dimensioni della realtà risultano gonfiate dal siloniano senso del grottesco, attraverso cui la lezione del realismo (e particolarmente del verismo meridionale), che sta alla radice della stesura del romanzo, si smaglia nelle comiche volute dell'iperbole, germogliata dal gusto popolaresco della deformazione senza l'incidenza di modelli letterari precostituiti, e rafforza il tessuto popolare della vicenda.

Sul versante storico il romanzo rivela piú chiaramente il ruolo di accusa verso la tendenza antistoricistica del regime che programmaticamente ignora il configurarsi della nuova realtà popolare come interlocutrice esiziale della dialettica storica del XX secolo.

La prepotenza squadrista si scatena anche fisicamente sul villaggio e, nella crudeltà attraverso cui si manifesta, stempera la barbarie della plebaglia istituzionalizzata.

Un « commando » armato, una sera all'imbrunire, mentre gli uomini non sono ancora tornati dalla mietitura, fa irruzione a Fontamara, seminando il terrore tra la popolazione che, innanzi alla « stranezza » dell'invasione, teme lo scatenarsi di una nuova guerra. Gli uomini neri sottopongono i presenti ad interrogatori sommari, utilizzando un questionario la cui terminologia si rivela inaccessibile ai cafoni che, perciò, tentano di rabberciare vaghe risposte intuitive, per lo piú registrate dagli inquisitori come attestati di ostilità al regime.

I cafoni vengono schedati, con varie definizioni, « refrattari », « anarchici », « comunisti », « socialisti », come irriducibili antifascisti e su di loro si accanisce la vigliaccheria del canaglismo fascista che saccheggia ed incendia le misere capanne dei cafoni, tortura invalidi e bambini, ne stupra le donne:

> « Ma le improvvise grida di Maria Grazia, che aveva la casa proprio a fianco del campanile, e subito dopo le grida disperate di Filomena Castagna e di Carracina, e le altre grida provenienti da case piú lontane, accompagnate da rumori e tonfi di mobili rovesciati, di sedie rotte, di vetri rotti, ci rivelarono in un attimo quali armi cercasse quella gentaccia. Maria Grazia, sotto di noi, urlava come un animale che sta per essere sgozzato. Attraverso la porta spalancata vedemmo confusamente la zuffa canesca di cinque uomini contro la povera donna: varie volte essa riuscí a divincolarsi e una volta arrivò fino alla porta, ma fu ritratta a tempo, e afferrata per le gambe e le spalle, fu gettata per terra e, immobilizzata, spogliata di tutto quello che aveva indosso e tenuta da quattro

uomini con le braccia aperte e le gambe divaricate, in modo che il quinto poté insozzarla. Maria Grazia rantolava come un animale scannato. Quando il primo ebbe usato di lei, il suo posto fu preso da un altro e ricominciò il martirio. Finché essa cessò ogni resistenza; il rantolo della donna era diventato già così flebile che a noi non giungeva più » (pp. 155-156).

Nella spedizione risaltano i connotati brutali del dispotismo del regime che trascina la provincia meridionale in un feudalesimo peggiore di quello in cui per secoli ha vissuto la sua lenta agonia, ne devasta la verginità fisica e morale, violenta, oltraggia, incrimina in nome della legge, annienta i fermenti di libertà, insidia il diritto all'esistenza, sfrutta il sudore della fatica dei cafoni, legifera a favore dei ladri dei cafoni, all'insegna dell'arbitrio e del capriccio, insomma dispiega l'arroganza dell'ignoranza e della ferinità attraverso l'esercizio dell'autorità che tende ad appiattire nell'automatismo la voce dell'umanità contadina.

Con estremo senso di obiettività storica, lo scrittore delinea la genesi sociale e morale di base del fenomeno:

> « In più del moschetto ognuno traeva un coltellaccio alla cintola. Tutti erano mascherati da morti. [...] In parte avevano anch'essi l'aspetto dei cafoni, ma di quelli senza terra, che vanno a servizio dei padroni, guadagnano poco e vivono per lo più di furto e di galera. In parte, come poi si riseppe con più precisione, erano tra essi anche sensali, di quelli che si vedono sui mercati, e anche lavapiatti delle taverne, e anche barbieri, cocchieri di case private, suonatori ambulanti. Gente fiacca e, di giorno, vile. Gente servizievole verso i proprietari, ma a patto di avere l'immunità nelle cattiverie contro i poveri. Gente senza scrupoli. Gente che una volta veniva da noi a portarci gli ordini di don Circostanza per le elezioni e ora veniva con i fucili per farci la guerra. Gente senza famiglia, senza onore, senza fede, gente infida, poveri ma nemici dei poveri » (pp. 153-154).

Dimostra le ripercussioni disastrose della legislazione

sull'emigrazione esterna che congela il desiderio di evasione di Berardo, e le limitazioni su quella interna che imprigiona i cafoni nel recinto della miseria, sempre piú costretti ad offrire le braccia esuberanti all'elemosina salariale dei padroni avidi di orari di lavoro scanditi sulla parabola solare:

> « Trentaquattro lire per dodici giornate di fatica. Quel compenso era talmente irrisorio che sembrava una stregoneria. Val la pena, pensavo, val la pena di continuare a zappare la terra per essere beffati in tal modo? » (p. 180).

Sotto l'imperversare delle « stranezze », si consuma la lenta agonia di Fontamara, su cui incombe lo spettro della fame:

> « Per Fontamara significava la fame perché i prodotti delle altre poche terre da noi affittate o possedute bastavano normalmente per pagare le tasse, l'affitto e le altre spese, mentre i prodotti dei campi irrigui ci fornivano l'alimentazione, pane di granoturco e minestra di legumi. Il furto dell'acqua ci condannava a un inverno senza pane e senza minestra » (p. 199).

Deleteri i riflessi sul piano morale per i giovani che, a causa della disoccupazione, trascorrono i giorni nell'inerzia e spesso traducono l'irritazione in manifestazioni « zoologiche » di deviazionismo sessuale.

Ai cafoni non rimane altra consolazione che far celebrare una messa *pro-populo* sperando di potere scongiurare la disgrazia, ma anche in quella direzione si imbattono nell'avidità di don Abbacchio che duplica la richiesta dell'obolo per l'officiatura, promettendo in compenso una predica su S. Giuseppe da Copertino, il santo dei cafoni, che, per aver allietato la Vergine con l'esercizio della levitazione, ottiene da Dio, secondo la tradizione, il dono di avere ogni giorno il pane bianco del Paradiso. Il curato, però, si serve dell'allocuzione come pretesto per fustigare i fontamaresi a causa della loro condotta ribelle e li rimprovera per il mancato pagamento delle imposte. Questi, ora, capiscono di essere veramente soli e sdegnati abbandonano il luogo sacro, sull'esempio di Berardo. Fuori, il successivo incrociarsi di battute tra don Abbacchio e i fedeli avalla la disperazione dei cafoni ormai certi della capitolazione del clero dinanzi ai « ricchi e alle autorità »:

> « "Nelle annate abbondanti, il prete va bene" concluse Michele Zompa. "Dice la messa, i tridui, le novene, battezza, comunica, dà l'estrema unzione, accompagna al camposanto, e, se c'è l'abbondanza, tutte queste cose vanno bene, come il cacio sui maccheroni. Ma quando c'è la fame, cosa può farci il povero prete?"
> Quando c'è la fame i cafoni hanno sempre avuto un solo scampo: divorarsi fra loro » (p. 189).

Sulla scorta della rassegna di atteggiamenti circostanziali in momenti nodali del dramma, si consolida la condanna dei rappresentanti ecclesiastici che, premuti dal codice compromissivo dell'istituzionalizzazione, si esibiscono in pagliacceschi atteggiamenti di servilismo verso il regime, mostrando in tal modo di tradire la vocazione del Vangelo.
Esemplare risulta a tal fine l'analisi comportamentale di don Abbacchio (il don Abbondio spregiudicato di Silone), un prete senza dignità, senza religione, senza morale, particolarmente predisposto al trasformismo e felice di spalleggiare i nuovi padroni.
Dal realistico paradigma della connivenza tra i due organismi, il politico e il religioso, esce lacerata la Chiesa che ha celebrato da poco la conciliazione con lo Stato, ma il sentimento religioso si esalta alla radice dell'anima popolare *naturaliter christiana*, che nella miseria e nel dolore celebra i valori fondamentali della vita.
Sulla filigrana di questi eventi scivola la delicata storia d'amore di Berardo e di Elvira, scandita con la solita tecnica espressiva che non concede nulla all'indagine psicologica e al descrittivismo, ma rivela il sotterraneo tormento delle figure nella nudità folgorante di poche espressioni. Da quando tra i due accade l'irreparabile, Berardo diventa irriconoscibile, non partecipa alle discussioni dei cafoni, ne evita la compagnia, si chiude in un angoscioso isolamento:

> « Ognuno vedeva che una spina gli era entrata nel cuore e il cuore gli sanguinava » (p. 175).

La sua assenza scoraggia i giovani, amareggia i cafoni che subiscono la condanna a morte attraverso la pagliacciata della nuova divisione dell'acqua, per « cinque lustri » assegnata all'Impresario e per « cinque lustri » ai fontamaresi, senza che nessuno sinceramente li difenda. E quando la piccola comunità ha imparato a ragionare come lui, Berardo è alle prese con i suoi problemi, cerca un lavoro pesante che gli assicuri guadagni alti per poter presto riacquistare la terra e senza vergogna sposare Elvira. A Baldissera che gli chiede un'opinione sulla rivolta di Sulmona, risponde:

> « "Tutti questi sono fatti che non mi riguardano" disse. "La nostra situazione è veramente brutta. Bisogna che ognuno si faccia i fatti suoi. Nel passato io mi sono occupato troppo dei fatti che non mi riguardavano. Il risultato è che all'età di trent'anni non possiedo che il paglericcio sul quale dormo. Adesso non sono piú un ragazzo e devo pensare ai fatti miei. Perciò lasciatemi in pace" » (p. 209).

L'inserimento nella conversazione di Elvira, che riannoda l'origine del suo amore alla matrice del coraggio di Berardo, finisce con lo stimolare non rivelate onde psichiche che contribuiranno certamente alla fermentazione del conflitto interiore del giovane, proiettandolo su parametri collettivi, alla notizia della morte della ragazza:

> « Se è per me che ti comporti in quel modo, ricordati che io cominciai a volerti bene quando mi raccontarono che tu ragionavi nel modo contrario » (p. 210).

Il personaggio di Elvira, in cui risultano sintetizzati i lineamenti di tante figure femminili della nostra letteratura, e in cui l'immagine della stilnovistica donna angelicata sembra fondersi con la rassegnata disposizione al sacrificio della Lucia manzoniana e con la pietrificata sofferenza delle creature verghiane, evidenzia un inedito spessore di protagonista, svolgendo un ruolo di riscontro dialettico e di proposta positiva alle dissacranti accuse di Silone.

Con l'offerta della sua vita per la salvezza di Berardo, Elvira esprime la profondità del sentimento religioso nell'anima contadina innalzata cosí a vera depositaria del cristianesimo.

La scelta « familiare » di Berardo, scaturita dalle angosciose responsabilità morali verso Elvira, apre la parentesi del cedimento al regime. I tentativi di inserimento del giovane nella catena produttiva del sistema si accendono tra i tentacoli del compromesso e della mortificazione. Egli si reca da don Circostanza per ottenere l'aiuto a trovare una occupazione in città, e ormai è disposto a piegarsi al trucco legale e alle minacce a cui l'avvocato ricorre per polverizzare il salario dovutogli per alcune giornate di lavoro; si immerge in una *via crucis* genuflettendosi all'avvilente palleggiamento della burocrazia romana disciplinata dal codice degli sprezzanti rinvii e delle verifiche partitiche. Dopo l'attesa di un giorno intruppato dietro ogni sportello degli uffici di collocamento della capitale, costantemente aggredito dal sarcasmo degli impiegati, è costretto ad accettare la tessera del regime per potersi iscrivere nell'elenco dei disoccupati. In attesa del turno per essere avviato al lavoro, peregrina per vie sconosciute, concentrando l'attenzione sugli aspetti piú strani dell'Urbe. La visione di una catena di banche simili a templi giganteschi, dove immaginava si trovasse S. Pietro, gli rivela la vera religione della città che ha deificato il denaro, e quasi lo sommerge di amarezza per aver continuato a credere nel vecchio dio:

> « "Ma hanno la cupola" io obiettavo "forse sono chiese".
> "Sí, ma con un altro Dio" rispondeva Berardo ridendo. "Il vero Dio che ora effettivamente comanda sulla terra, il Denaro. E comanda su tutti, anche sui preti come don Abbacchio, che a parole predicano il dio del cielo. La nostra rovina" aggiungeva Berardo "forse è stata di aver continuato a credere al vecchio dio, mentre sulla terra adesso ne regna uno nuovo" » (p. 219).

Esprime sorpresa e dissenso per il grande spreco d'acqua nelle fontane e si tuffa per saziarsi nei fitti zampilli, quasi a spegnere simbolicamente la sete e salvare Fontamara dall'arsura. Sempre piú dominato dal nuovo progetto sentimentale, acquista da un venditore ambulante uno scialle colorato, un pettine e un fermaglio per Elvira e, sull'onda di una sensazione di sicurezza, si abbandona a contrastanti farneticazioni:

> « "Adesso mi sento la forza di fare quello che nessun uomo ha mai fatto, capisci? Mi vedrai. Domani ci assegneranno il lavoro e appena cominceremo a lavorare mi vedrai, e gli altri mi vedranno, e gl'ingegneri mi vedranno". [...]
> "Ma non è questione di coraggio, ti dico" mi rispose con sgarbatezza. "Né di forza. L'Impresario si è forse servito della violenza contro di noi? Niente affatto. L'Impresario non ha impiegato contro di noi né il coraggio, né la forza, ma l'astuzia. E cosí si è preso il ruscello. Anzi nemmeno se l'è preso, i Fontamaresi gliel'hanno dato. Infatti, prima hanno firmato una petizione al Governo, poi hanno accettato il trucco dei tre quarti e tre quarti, poi il trucco dei dieci lustri. Cosa doveva fare l'Impresario? L'Impresario ha agito correttamente, nei suoi interessi" » (pp. 221-222).

Ma la realtà lo risucchia nella selvaggia spirale della nuova legislazione sul lavoro, per cui insieme al compagno, il figlio di Giuvà affidatogli per tentare con lui la sorte al di là dei confini natali, viene rispedito dalle autorità nella provincia d'origine. In preda alla disperazione, dietro suggerimento del Buon Ladrone, titolare della locanda dove sono alloggiati, soggiace allo sciacallismo del cav. Pazienza, un vecchio avvocato consunto dall'alcool e dalla tosse che, dietro laute ricompense, riapre una nuova parentesi di illusione. Cercando di soddisfare, fino a quando le possibilità glielo consentono, le sempre piú assillanti richieste di emolumenti di don Pazienza che li abbindola con la complicità del capufficio del collocamento, ottengono la riapertura della pratica di iscrizione nella lista dei disoccupati; ma le cattive informazioni politiche giunte da Fontamara sul loro conto, « condotta pessima dal punto di vista nazionale », decretano il ripudio della società che a loro non concederà mai lavoro. Sfrattati con disprezzo dalla locanda del Buon Ladrone (un epiteto che qualifica un uomo arricchitosi con la professione di ladro sotto la protezione del regime), vagano senza meta per la città in balia dell'avvilimento e della fame. Nei pressi della stazione si imbattono in una grande mobilitazione di militi alla ricerca di un personaggio sconosciuto. Qui si avvicina a loro un giovane studente-operaio e li guida in una latteria vicina per farli rifocillare. Da lui apprendono che l'uomo a cui i carabinieri danno la caccia è il Solito Sconosciuto, un personaggio senza volto che sembra possedere il dono dell'ubiquità con i suoi continui attentati alle istituzioni e le sue manifestazioni rivoluzionarie che esplodono contemporaneamente in diverse località, un uomo di cui le autorità mostrano di aver paura, soprattutto perché ha incominciato a creare, in diverse regioni, responsabili nuclei di opposizione al fascismo. Intanto i militi che perquisiscono il locale rinvengono vicino al loro tavolo un pacchetto contenente stampa antifascista e, ritenendoli responsabili di propaganda contraria al regime, li arrestano e li catapultano in una cella buia e puzzolente. Dalle rivelazioni del giovane avezzanese, Berardo apprende che molta gente marcisce in galera o è caduta per la sua avversione politica sotto il piombo del regime, e sa dell'attività del Solito Sconosciuto, ora attivamente ricercato. La conversazione tra i due si prolunga per tutta la notte e Berardo intercala, nel resoconto illuminante dell'avezzanese, un repertorio di interrogativi particolarmente centrati sullo sfruttamento dei cafoni da parte dei cittadini, sulla vera sostanza della libertà, sulla Russia di cui tutti parlano, che in realtà s'inseriscono nel disfacimento psicologico del cafone, come obiezioni che il giovane, sotto il riaffiorare del primitivo ribellismo, rivolge a se stesso e attraverso cui conquista il vero senso dell'esistenza:

> « "Credevo che la vita non avesse ormai piú senso per me" egli mi disse. "Ma forse può ancora avere un senso".
> E dopo un po' egli aggiunse:
> "Forse soltanto adesso comincerà ad avere un senso" » (p. 240).

Il giorno dopo chiede di parlare con il commissario a cui dichiara di essere lui il Solito Sconosciuto. Viene sottoposto a spossanti interrogatori, subisce l'atrocità delle torture, è sul punto di cedere, in seguito alla scarcerazione dell'avezzanese che crede l'abbia ingannato. Durante una nuova convocazione, il commissario gli mostra un giornaletto clandestinamente stampato dai cafoni, che ha come titolo: VIVA BERARDO VIOLA, in cui sono descritte le violenze subite da Berardo in cella, è sintetizzata la storia delle « stranezze » di Fontamara, è annunciata la morte di Elvira. Allora folgorato dal dolore, percepisce la verità e, dopo un'amletica notte, le residue incertezze sulla decisione da prendere si tramutano in scelta responsabile, in spontanea conquista della solidarietà di classe, nella confluenza istintiva dentro i parametri dell'ideologia:

> « "Che senso ha il vivere ora che Elvira è morta? E se io tradisco, tutto è perduto. Se io tradisco" diceva "la dannazione di Fontamara sarà eterna. Se io tradisco passeranno ancora centinaia di anni prima che una simile occasione si ripresenti. E se io muoio? Sarò il primo cafone che non muore per sé, ma per gli altri". [...]
> "Sarà" egli disse "qualche cosa di nuovo. Un esempio nuovo. Il principio di qualche cosa del tutto nuova" » (p. 247).

Sono le ultime parole di Berardo che acquistano valore di testamento e vengono affidate in cella al giovane figlio di Giuvà, simbolo della nuova generazione, per rilanciarne il messaggio tra i cafoni. Due giorni dopo Berardo muore massacrato dalle torture fasciste. Il regime offrirà la versione ufficiale del suicidio provocato da delusioni amorose che avrebbero scatenato in lui la tendenza autodistruttiva.

A questo punto, il filo degli avvenimenti sterza verso il terzo piano della narrazione con il ritorno dell'obiettivo su Fontamara, e sulla tragedia individuale di Berardo Viola si stratifica la tragedia collettiva dei cafoni. Con la carta messa a disposizione dal Solito Sconosciuto, i cafoni, trasformatisi in tipografi e in redattori, stampano un giornale e democraticamente decidono di intitolarlo « Che fare? ».[2]

[2] Il « Che fare? » — il cui titolo è ripreso da quello del noto romanzo di Černyševskij, cosí caro a Lenin — è uno degli scritti che accompagnano la formazione del partito operaio socialdemocratico russo (POSDR) e insieme il costituirsi della sua ala rivoluzionaria piú conseguente, quella dei bolscevichi. Questi poi, raggruppando attorno a sé la maggioranza del par-

Il primo numero di cinquecento copie denuncia l'assassinio di Berardo Viola, siglato dalla locuzione « Che fare? », in cui è implicita la scelta della rivolta. L'uscita del giornale scatena la sanguinosa repressione del regime che invia a Fontamara militari e ordina lo sterminio dei cafoni per soffocarne il messaggio rivoluzionario. Si salvano Giuvà, Matalè e il figlio che si erano recati a San Giuseppe per distribuire il giornale, e con l'aiuto del Solito Sconosciuto si rifugiano all'estero, dove raccontano allo scrittore le ultime vicende di Fontamara, interrogandosi alla fine anche loro sulle scelte da operare per sottrarsi alle persecuzioni della storia:

> « Dopo tante pene e tanti lutti, tante lacrime e tante piaghe, tanto odio, tante ingiustizie e tanta disperarazione, che fare? » (p. 259).

L'ingresso nella vicenda del Solito Sconosciuto rivela l'emblematicità del personaggio, la funzione politica e la carica ideologica che Silone ha voluto consegnargli. Se nella parabola esistenziale di Berardo, lo scrittore ha adombrato la vita del fratello ingiustamente accusato di un attentato antifascista e morto in carcere in seguito alle torture subite, nella figura del Solito Sconosciuto Silone proietta se stesso, le ragioni umanitarie che lo hanno spinto alla scelta politica, il bisogno di continuare a testimoniare la sua fedeltà e la sua partecipazione alla lotta dei cafoni. Il Solito Sconosciuto, che inserisce nella narrazione la filigrana ideologica, entra in scena idealmente adombrato nelle sembianze del giovane studente-operaio di gramsciana ascendenza, nel momento di maggiore avvilimento dei cafoni e li salva dalla perdizione totale, strappandoli alla insidia della « spia » del regime che, ad Avezzano dove essi sono stati convocati per assistere alla pantomima della distribuzione delle terre del Fucino, si intrufola nelle loro file per scoprirne i fantomatici progetti rivoluzionari e per poterli cosí denunciare al Tribunale Speciale. La sua prima apparizione per una via appartata del capoluogo mostra i segni di una protettiva predisposizione verso di loro attra-

tito ed espellendo l'ala destra menscevica, si costituiranno in partito nel 1912, per assumere la denominazione di partito comunista russo (bolscevico) nel 1918.

verso gli iterati scatti del sorriso. Poi li esorta a lasciare la città e li segue attraverso i campi nell'anabasi verso Fontamara borbottando storie incomprensibili che infastidiscono Berardo, pronto ad afferrarlo e buttarlo in un fosso. L'approccio iniziale tra il mondo contadino ed il linguaggio incomprensibile del Solito Sconosciuto, in cui in realtà si esprime il nuovo fermento di Resistenza che si sta coagulando in organizzazione antifascista, si rivela fallimentare a causa della prostrazione psicologica e morale dei cafoni che ormai soli sembrano rassegnati alla catastrofe. La seconda apparizione coglie Berardo (attraverso cui ormai la vicenda collettiva si è drammaticamente individualizzata) e il giovane compagno sull'orlo della disfatta ed evidenzia il carattere di totale solidarietà e di illuminazione intellettuale. Infatti i due giovani, condannati dalla città fascistizzata alla fame e alla morte civile, vengono fatti rifocillare dal giovane sconosciuto in una latteria della capitale, sono informati della trama di lotta contro il regime che si sta tessendo in tutta Italia sotto la guida ideale del Solito Sconosciuto, già penetrato nelle fabbriche, nelle scuole e nella provincia contadina, per educare, attraverso la diffusione di stampa clandestina, alla disobbedienza civile e alla rivolta:

> « "Da qualche tempo uno sconosciuto, il Solito Sconosciuto, mette in pericolo l'ordine pubblico" aggiunse il giovanotto sottovoce. "In tutti i processi di fronte al tribunale speciale si parla del Solito Sconosciuto che fabbrica e diffonde la stampa clandestina, che denunzia gli scandali, che incita gli operai a scioperare, i cittadini a disubbidire. Quelli che sono sorpresi con stampati illegali confessano sempre di averli ricevuti dal Solito Sconosciuto. In principio egli si aggirava di preferenza attorno a certe fabbriche; poi cominciò a frequentare anche i dintorni delle città, le caserme dei soldati; infine ha fatto la sua apparizione nelle università. Lo stesso giorno egli viene segnalato in province diverse e perfino alla frontiera. Dietro di lui corrono i piú scaltri poliziotti, ma finora egli è rimasto imprendibile. Varie migliaia di persone sono state arrestate e alcune volte il Go-

verno ha creduto che tra gli arrestati vi fosse anche lui, il Solito Sconosciuto; però, dopo brevi periodi di interruzione, la stampa clandestina riprendeva le sue apparizioni e le cronache del tribunale tornavano a segnalare l'attività del Solito Sconosciuto. Da qualche tempo sembra che egli si rechi anche in Abruzzo" » (pp. 233-234).

Si incarna nella coscienza di Berardo che, in carcere, sotto la spinta dei ragionamenti del giovane avezzanese (relegato con abilità tecnica in sottofondo per dare maggiore pregnanza di significati ai dubbi del cafone), si abbandona ad una specie di postulante blaterazione, attraverso le cui drammatiche fasi matura una nuova coscienza civile.

COMMENTO CRITICO

Fontamara, iniziato in un sanatorio ticinese e portato a termine a Davos nel 1930, dopo un'intensa circolazione nella veste inedita tra i fuoriusciti amici dello scrittore, « apparve la prima volta nella edizione svizzera, a spese dell'autore, sostenuto da 800 sottoscrizioni, traduzione tedesca di Nettie Sutro, Verlag Oprecht und Helbing (commissionario che firma come editore), Zurigo 1933 [...]. La stessa traduzione fu ristampata a parte per i soci della ghilda Universum Bucherei di Basilea nel 1934, ed ebbe anche diffusione clandestina in Germania. Inoltre il romanzo, nella medesima versione, apparve a puntate in 14 quotidiani e periodici svizzeri in lingua tedesca nel corso degli anni 1934-35. [...] Anche la diaspora dei profughi che, prima dalla Germania e poi dagli altri paesi dell'Europa Centrale, transitavano per la Svizzera, diretti verso i piú svariati e lontani paesi, contribuí probabilmente alla rapida diffusione di *Fontamara* nel mondo. [...] Molti di questi profughi, nel proseguire il viaggio per altre terre, portavano con sé *Fontamara* e dall'Olanda, dall'Inghilterra, dall'Argentina ecc. fecero pervenire all'autore lettere e richieste di traduzione. [...] In lingua originale l'autore dovette stampare il romanzo a proprie spese, presso una piccola tipografia di emigrati italiani a Parigi, dove apparve nel 1934, presso le Nuove Edizioni Italiane (la denominazione editoriale era fittizia) ».[3]

In Italia, a causa della persecuzione censoria del regime, poté apparire solo dopo la caduta del fascismo e, dopo due edizioni di poco rilievo (a puntate nel 1945 sul settimanale di Bonaiuti « Il Risveglio » e nel 1947 presso la Casa Editrice Faro di Roma), Silone pubblicò presso Mondadori (Milano, 1949) l'edizione italiana definitiva emendata da prolissità ed approssimazioni.

Tradotto in 27 lingue, *Fontamara* esercitò una vasta influenza sull'opinione pubblica mondiale che nel libro avvertí, oltre al tentativo di lotta dei miserabili per emergere dal limbo della storia, l'appello disperato della necessità di organizzare la resistenza all'*escalation* della barbarie nazifascista. Cosí *Fontamara,* al suo primo apparire e fino al 1936 (anno della pubblicazione di *Pane e vino* che polarizzò su di sé l'attenzione della critica), mentre la tirannide eterogeneamente paludata nelle opposte longitudini del globo stravolgeva i lineamenti della dignità umana e la letteratura tentava nuovi agganci con la realtà con l'obiettivo di riscoprire il senso popolare nella storia, fu assoggettata ad un tipo di esegesi contenutistica, a cui si prestava il fondo hegeliano del marxismo siloniano, che, per lo piú elusiva di una reale valutazione estetica, tendeva a decodificare il plasma ideologico e morale all'interno di un concetto narrativo catalogato come indagine sociologica. Trotzkij, profondamente suggestionato dalla lettura di *Fontamara,* il 17 luglio del 1933 scriveva all'autore: « in *Fontamara* la passione si eleva a tale altezza da farne un'autentica opera d'arte. [...] Il libro merita d'essere diffuso in milioni d'esemplari ».[4]

Negli ambienti dell'emigrazione Carlo Rosselli, oltre alla tematica della miseria, ne sottolineava la struttura marxista particolarmente ravvisabile nella concezione deontologica dei conflitti sociali, e nella dinamica collettiva delle vicende di Fontamara individuava la novità e l'attualità della tecnica narrativa siloniana, con un veloce accenno alla bellezza di alcune pagine, scaturite piú dalla tensione

[3] Luce d'Eramo, *L'opera di Ignazio Silone*, Milano, Mondadori, 1972, pp. 18-21.

[4] L. Trotzkij, *Una lettera di Trotzkij a Silone*, riprodotta nella traduzione italiana di A. Maryer e E. Lo Gatto, su « Il Punto », Roma, 8 marzo 1958, con presentazione di C. Mangini: *I cafoni di « Fontamara »*.

psicologica e dall'avversione ideologica dell'esule, che da una vidimazione estetica: « Silone potrebbe d'altronde a ragione osservare che là dove la vita è ridotta a pura attività vegetativa la storia non può farsi in profondità, ma in estensione; giacché anche nel singolo il momento collettivo, il peso della tradizione, dell'ambiente, della necessità sociale, è molto piú importante del movimento individuale e della forza della personalità ».[5]

Lo scrittore tedesco Bernard von Brentano nel risvolto della seconda edizione del libro ne esaltava la potenza rivoluzionaria: « Cento uomini ricchi, armati, possono battere un povero uomo disarmato, costringerlo a mettersi in ginocchio, umiliarlo e sfruttarlo. Il povero sembra essere perduto. Ma non lo è. Leggi, lettore, la storia di *Fontamara*, per vedere come la libertà stessa cominci a scrivere quando tutti credono che i suoi difensori siano definitivamente incarcerati ».

La critica italiana poté occuparsi solo nel dopoguerra di *Fontamara* a causa dell'ostracismo fascista che colpiva l'opera dei perseguitati, ma le tortuose vicende editoriali del romanzo che non poteva essere considerato « opera prima », la diffidenza verso l'attività politica dello scrittore e l'impressione non documentata di un Silone imposto dalla propaganda americana, in un ambiente intellettuale di prevalente formazione marxista che nell'America identificava la roccaforte del capitalismo, contribuirono alla rarefazione dell'attenzione critica attorno al romanzo che cosí passò quasi inosservato. Ma la novità tematica non sfuggí a Giovanni Russo che lo definí « il poema epico-drammatico della plebe meridionale, in cui per la prima volta questa assurge a protagonista di una storia, acquista un volto ».[6]

L'edizione mondadoriana del 1949 ebbe piú vasta risonanza e, nel fuoco incrociato delle polemiche, registrò indagini di un certo rilievo estese all'intera opera di Silone. Soprattutto con l'intervento polemico di Giosuè Bonfanti l'asse della valutazione critica si inclinava a coinvolgere il problema linguistico e strutturale, siglato da una stronca-

[5] C. Rosselli, « Quaderni di Giustizia e Libertà », Parigi, S.F.I.E., novembre 1933; riportato su « L'Italia Socialista », Roma, 10 giugno 1948.
[6] G. Russo, *I cafoni e il Solito Sconosciuto*, su « L'Italia Socialista », Roma, 10 giugno 1948.

tura argomentata con il « tradimento » della realtà popolare dei cafoni espresso dall'equivoco genetico dell'impostazione linguistica: « nell'usare la lingua italiana che è estranea allo spirito dei "cafoni", si comincia a tradire una realtà, quella che poteva nascere, e non il mezzo che si impiega. [...] Raccontata dagli interessati perde in plausibilità perché l'esposizione guida in sostanza lo svolgersi e il coordinarsi dei fatti secondo il già compiuto giudizio dell'autore. Rivela quindi una coscienza delle cose; apre, sia pur tardi, degli scenari; mostra dei meccanismi, perfidi o ingenui. Ma questa coscienza non è il tema del racconto, non include il suo dramma, la fase di conquista dei dati del mondo e delle cose avverse nella conoscenza dei "cafoni". [...] Donde viene questa coscienza di fatti "raccontati" che non dovrebbe diradare l'ignoranza? E che difatti non la dirada in una lotta aspra e sorda, non delinea le posizioni reciproche in tutta la loro ostilità e nella loro stessa unilateralità e insufficienza, perché gli interessati pur raccontando e sapendo, per la struttura del racconto è come non sapessero; hanno quindi in prestito la coscienza dell'autore, che in loro diventa inverosimile ».[7]

Contemporaneamente Giorgio Petrocchi cancellava le polemiche catalogazioni che riducevano ad un realismo approssimativo privo di validità letteraria, e la progettazione sociale risolvente in astrazione morale la spinta psicologica, con un richiamo alla carica simbolica del romanzo che inguaina la ricerca di una struttura morale e religiosa della società, in un registro stilistico ruvido e antiletterario.[8] Piú complesso, anche se sostanzialmente negativo, soprattutto sulla possibilità di inserimento nella dialettica della letteratura contemporanea, il contributo di Claudio Varese: « È mancata a Silone l'esperienza di una letteratura di ricerca, di un'indagine formale contemporanea alla ricerca morale: un approfondimento linguistico sarebbe stato contemporaneamente chiarimento morale e concettuale di motivi, che invece rimangono nella pagina narrativa ancora incerta ».[9]

[7] G. Bonfanti, *Ignazio Silone: « Fontamara »*, su « La Rassegna d'Italia », maggio 1949.
[8] G. Petrocchi, *Silone è rimasto lontano dagli italiani: vent'anni di « Fontamara »*, su « Il Quotidiano », Roma, 25 maggio 1949.
[9] C. Varese, *Occasioni e valori della letteratura contemporanea*, Bologna, Cappelli, 1967.

Nell'ambito di una caustica organizzazione storiografica, Goffredo Bellonci[10] collocava *Fontamara* sulla medesima linea anticipatrice del nuovo realismo italiano che propone *Gli indifferenti* di Moravia e *Gente in Aspromonte* di Alvaro, e ricorreva a procedimenti « sinottici » riconducibili nel circuito metodologico dell'antropologismo culturale, per riuscire ad instaurare un credibile collegamento tra itinerario autobiografico e gli eterogenei parametri delle strutture narrative, polarizzate attorno all'episodio storico e oscillanti tra la proiezione surrealistica delle immagini, la pigmentazione sarcastica ed il timbro profetico del proliferante linguaggio popolare. Tra i piú recenti ed esaustivi interventi, Antonio Russi rivendica la funzione avanguardistica nella qualificazione neorealistica con una probante andatura apologetica: « non si può dimenticare che i contadini lucani di Levi seguono e non precedono i contadini abruzzesi di Silone; mentre per molti lettori italiani, piú ingenui e meno informati, Silone rischiò di essere visto se non come un seguace, almeno come un compagno di cammino ».[11]

Tra i giudizi stranieri, il polacco K.A. Jelenski[12] sostiene che Silone riesce a restituire la realtà trasferendola sul piano della storia e a dare ad avvenimenti apparentemente quotidiani, dove la partecipazione umana non è che parzialmente cosciente, dimensioni epiche.

Henri Louette sottolinea « la stretta parentela che corre tra lo stile spoglio del nostro autore e quello tragico del dramma antico, in quella specie di dialogo a tre voci che riferisce "fatti strani" accaduti a Fontamara ».[13]

Nel lento delinearsi di un tale schema di giudizi, ondeggiano gli strali incrociati della critica che si sforza di metonimizzare la crocifissione politica a cui veniva inchiodata *Fontamara*, col sostegno del corredo di un formalismo « giansenistico » di ascendenza rondista, affilatosi attraverso le esercitazioni anestetizzanti del ventennio nero. Si registra in tal modo, da una parte la posizione dei recensori

[10] G. Bellonci, *Ritratto di Silone*, trasmesso dalla RAI l'8 novembre 1951.

[11] A. Russi, *Gli anni dell'antialienazione (1943-1949)*, Milano, Mursia, 1966.

[12] K.A. Jelenski, *La Source éternelle*, Parigi, Kultura, aprile 1960.

[13] H. Louette, *Ignazio Silone, romanziere della miseria*, su « La Croix », Parigi, 14-15 gennaio 1968.

di ispirazione marxista (su cui pesava l'ipoteca stalinista) che, da un incipiente atteggiamento di attesa, si cristallizzava in aperto silenzio o in palese denigrazione, a causa del progressivo indice di inquinamento cristiano, attraverso cui la parabola narrativa di Silone va disinnescando l'ordigno rivoluzionario dal congegno psicologico dei suoi personaggi, sempre piú dilaniati dal processo di metafisicizzazione della problematica storica di fondo; dall'altra, la progressiva apologia degli ambienti accademici e reazionari che, in linea con le esigenze estetiche dell'egemonia politica del centro-destra, tendeva a polverizzare l'istanza del processo di culturizzazione (indispensabile per la conquista di una condizione rivoluzionaria segnalata dal « Che fare? » siloniano ed amplificata dalla costatazione del fallimento dei miti della Resistenza) e cercava di solidificare nella spirale di un narcisistico conformismo la tormentata ricerca dello scrittore abruzzese, innalzando sugli altari dello scandalo « il caso Silone » gonfiato piú per la strumentalizzazione politica, data la statura internazionale dell'autore, che per organiche argomentazioni esegetiche quasi sempre imperniate sui luoghi comuni del pamphlettismo o del regionalismo, del moralismo o del maccartismo, e scaturite spesso da un'ansia classificatoria, prima che da una obiettiva valutazione letteraria.

La dimostrazione di tale spregiudicatezza interpretativa è fornita dal commento di Bruno Corbi, durante l'intervista a Silone alla televisione tedesca, sintetizzato da Luce d'Eramo: « Corbi racconta che quando Silone era in esilio, egli, comunista militante, gli dava addosso perché tale era "la consegna del partito" »,[14] a cui va aggiunto il tardivo riconoscimento di tanti critici che, in seguito all'edizione vallecchiana di *Uscita di sicurezza*, in cui risulta interiorizzato l'impegno politico dello scrittore nei risvolti di una innata vocazione popolare, ribaltano i loro anteriori giudizi restrittivi, estendendo la patente di credibilità anche all'operazione stilistica di Silone.

In realtà, in un brano di *Uscita di sicurezza*, che può essere accolto come teorizzazione basilare della sua poetica, Silone fu molto esplicito non solo sulle difficoltà espressive da lui incontrate nella solitaria elaborazione di una connes-

[14] L. d'Eramo, *op. cit.*, p. 82, nota 3.

sione, non demagogica né alchimistica, ma coerente e simultanea tra l'universo offeso dei cafoni e la proiezione della loro odissea di mortificazione nel flusso di una positiva visione della storia, ma nella confessione della assoluta necessità di testimoniare, intesa come bisogno di liberarsi da un'ossessione, additò il significato traumatico della rottura con un'ideologia che aveva alimentato la sua formazione umana e culturale, ne confessò le ripercussioni sul plasma morale della sua narrativa: « Ho ripensato spesso negli anni seguenti, alle confidenze di quell'incontro, poiché il bisogno di capire, di rendersi conto, di confrontare il senso dell'azione, in cui mi trovavo impegnato, con i motivi iniziali dell'adesione al movimento, si è impossessato interamente di me e non m'ha lasciato tregua e pace. E se la mia opera letteraria ha un senso, in ultima analisi, è proprio in ciò: a un certo momento scrivere ha significato per me assoluta necessità di testimoniare, bisogno inderogabile di liberarmi da una ossessione, di affermare il senso e i limiti di una dolorosa ma definitiva rottura, e di una piú sincera fedeltà. Lo scrivere non è stato, e non poteva essere, per me, salvo in qualche raro momento di grazia, un sereno godimento estetico, ma la penosa e solitaria continuazione di una lotta, dopo essermi separato dai compagni assai cari. E le difficoltà con cui sono talvolta alle prese nell'esprimermi non provengono certo dall'inosservanza delle famose regole del bello scrivere, ma da una coscienza che tenta di rimarginare alcune nascoste ferite, forse inguaribili, e che tuttavia, ostinatamente, esige la propria integrità. Poiché per essere veri non basta evidentemente essere sinceri ».[15]

Si delinea in queste pagine l'elaborazione di un'idea di letteratura, intesa non solo come problema squisitamente letterario, centrato attorno all'attività teoretica dell'arte dello scrivere, ma particolarmente come veicolo di traslazione, su un diverso registro rappresentativo, di quell'inderogabile imperativo morale che si è radicato nell'anima a contatto con il feudale vassallaggio del mondo contadino meridionale, si è chiarito con l'adesione al socialismo zimmerwaldiano, ha sostanziato la scelta dell'estremismo politico, quando essere comunisti significava gettarsi allo sba-

[15] I. Silone, *Uscita di sicurezza*, cit., pp. 61-62.

raglio, ha determinato il debordamento della vocazione politica nella vocazione letteraria, quando l'abbandono del movimento comunista, in cui si era espansa la carica psicologica della sua rivolta, lo ricacciava nell'amarezza della solitudine.

La « fuga » nella letteratura rimaneva l'unico strumento di partecipazione alla lotta, contro il fascismo e contro ogni forma di oppressione, per la redenzione dal sopruso e dalla schiavitú, in cui la passione morale ha infranto gli argini del moralismo ideologico per consolidarsi in una sorta di atteggiamento eroico e disperato verso la società.

Nelle latitudini interiori, recuperate nella primordiale accezione etica e rivoluzionaria, Silone ritrova cosí intatto il serbatoio degli affetti e delle vicende che hanno costellato il paesaggio dell'infanzia e della maturazione intellettuale e in *Fontamara,* affidandosi al bilancio della memoria, attualizza la matassa dei luoghi, delle immagini e delle situazioni che costituiscono il patrimonio storico della terra marsicana in personaggi emblematici del mondo popolare, che coinvolgono in un processo di rispecchiamento la vicenda spirituale dello scrittore impegnato a resuscitare, nella congenita potenzialità rivoluzionaria, le piú autentiche energie della società contadina, atavicamente cristallizzate dai detentori del potere economico, politico e religioso, nell'assuefazione all'inerzia, in una dimensione psicologica di negativismo esistenziale e di scetticismo, di rassegnazione e di superstizione, di schiavitú materiale e morale.

« Nella realtà Fontamara indica il nome della via dove Silone è nato, che sbocca su una fonte alla quale si abbeveravano le bestie (il nome inciso sulla targa a muro è un altro). » [16]

Nella sfera sentimentale di Silone esule, combustionato dalla crisi ideologica e dallo spettro della solitudine e angosciato dalla incombenza della malattia che minaccia di stroncarlo, acquista uno spessore emblematico, si tramuta in segreta topografia dell'anima, dove il dolore della memoria risulta riscattato dalla forza della immaginazione rivitalizzata dalla passione e dalla ideologia: « Alcuni anni piú tardi, nel 1930, rifugiatomi ammalato in un villaggio di

[16] L. d'Eramo, *op. cit.*, p. 15.

montagna della Svizzera, credevo di non aver piú molto da vivere e allora mi misi a scrivere un racconto al quale posi il nome di Fontamara. Mi fabbricai da me un villaggio, col materiale degli amari ricordi e dell'immaginazione, ed io stesso cominciai a viverci dentro ».[17]

Il romanzo pertanto si configura come piano di rispecchiamento emblematico del groviglio di esperienze genetiche, di contingenze storiche, di reazione psicologica e morale che hanno contraddistinto l'itinerario dello scrittore verso la rivolta, ma il dramma di Fontamara, dipanato negli anni in cui la dittatura soffoca anche le zone periferiche della vita nazionale, s'irradia in una dimensione piú vasta nella misura in cui riesce a condensare nella sfera del simbolo non solo le angustie circoscritte ad una isolata realtà provinciale, ma la tragedia della plebe meridionale ulteriormente vilipesa dal raggiro storico del rivoluzionarismo fascista, e dal sottoproletariato rurale di tutto il mondo:

> « In seguito ho risaputo che il medesimo nome, in alcuni casi con piccole varianti, apparteneva già ad altri abitati dell'Italia meridionale, e, fatto piú grave, ho appurato che gli stessi strani avvenimenti in questo libro con fedeltà raccontati, sono accaduti in piú luoghi, seppure non nella stessa epoca e sequenza » (p. 19).

Con il ricorso alla metodologia compositiva della finzione letteraria, attraverso cui i tre fontamaresi superstiti raccontano a Silone in esilio il massacro dei cafoni perpetrato dai fascisti, lo scrittore convoglia il flusso narrativo dal piano di scorrimento esterno, nel diagramma di un realismo interiore *sui generis* notevolmente differenziato, nella funzionalità evocativa e gnoseologica delle voci narranti e nella loro assunzione ad emblema categoriale della coscienza, dalla tecnica procedurale della *tranche de vie* del naturalismo ottocentesco; per cui la struttura architettonica di Fontamara dichiaratamente concepita come irradiazione della coscienza che, nel rifiuto di soccombere alla sconfitta sociale e autobiografica, cerca il dirottamento sul piano let-

[17] I. Silone, *Uscita di sicurezza*, cit., p. 172.

terario della tensione utopistica ed umanitaria come prosecuzione della lotta per la redenzione del mondo offeso dei cafoni, acquista la dimensione di struttura psicologico-morale, attraverso cui lo scrittore dà vita ed immagine alle motivazioni ideali che hanno acceso il suo impegno politico e che continuano a fermentare alla radice della sua anima nei giorni disperati della malattia e dell'esilio.

> « E tuttavia io non cessai alcun giorno dal pensarvi e dal tornare con l'immaginazione in quella contrada a me ben nota, struggendomi dal desiderio di conoscere la sua sorte attuale. Finché m'è accaduto un fatto imprevisto. Una sera che la nostalgia si era fatta in me piú pungente, con mia grande sorpresa ho trovato sull'uscio della mia abitazione, seduti contro la porta e quasi addormentati, tre cafoni, due uomini e una donna, che senza esitazione ho subito riconosciuto per Fontamaresi. Al mio arrivo essi si sono alzati e m'han seguito in casa. Alla luce della lampada ho riconosciuto le facce. L'uomo era un vecchio alto, magro, con la faccia terrea e unta di peli grigi; accanto a lui, sua moglie e suo figlio. Sono dunque entrati. Si sono seduti. Hanno cominciato a raccontare. (Allora ho riconosciuto anche la voce).
> Prima ha parlato il vecchio. Poi la moglie. Poi di nuovo il vecchio. Poi di nuovo la moglie. Mentre parlava la moglie, temo di essermi addormentato, senza però, fenomeno veramente singolare, ch'io perdessi il filo del suo discorso, quasi che quella voce sorgesse dal piú profondo di me. Quando è spuntata l'alba e mi sono svegliato, ha ripreso a parlare il vecchio.
> Quello che han detto, è in questo libro » (pp. 27-28).

In queste righe l'oscillazione psicologica attorno al nucleo tematico della socialità, con il trapasso alla pluralizzazione fonica che assolutizza i termini del resoconto, con la conseguenziale identificazione tra struttura morale e logaritmo ideologico, risulta paradigmata dal simultaneo trapasso surrealistico che, teso al trivellamento dei piani contrapposti della storia per un'intelligenza della tragedia collettiva, piega il coefficiente della memoria a presentizzare i fotogrammi dell'avvilimento, della *reductio ad rem* della dimensione umana dei cafoni nella fluviale sequenza del dolore.

La vicenda di Berardo si snoda come paradigma individuale della storia collettiva, ma Silone non si affida soltanto alla metaforizzazione della parabola esistenziale del personaggio che potrebbe diluire, nell'aleatorietà dell'interpretazione, i connotati traumatici della realtà storica, e parallelamente intreccia le oscillazioni del sottoproletariato contadino contro la secolare coercizione.

I due itinerari procedono armonicamente, eludendo l'intersecazione abusiva che potrebbe determinare nello svolgimento un'alienante disfunzione strutturale e sconvolgere il flusso tematico ed emozionale, ma si intercalano con un programmato criterio di necessità che delinea organicamente il ruolo dell'intervento e quasi trama a suscitare l'atmosfera omologa alla convocazione scenica con la tecnica del *flash-back* al rallentatore, produttiva di equilibrati rapporti subalterni alla reciproca emersione in superficie delle due matasse narrative.

Tale tecnica risulta ampiamente utilizzata nella retrospezione didascalica dell'enucleazione tematica, nella caratterizzazione morale o nella composizione del *cliché* identificativo dei connotati pubblici dei personaggi, nell'intervento bozzettistico o nella dilatazione espressionistica, per cui il filo della cronaca, attraverso cui la memoria recupera nella dinamica storica le motivazioni genetiche del presente, si espande in oasi narrative con il conseguente trasferimento del piano temporale (passato-trapassato), senza inficiare la funzionalità del filo diretto della creazione che si avvale del calibrato dosaggio delle temporanee aperture ricondotte organicamente sull'asse principale del racconto.

Si veda l'illustrazione saggistica della questione del Fucino o l'anamnesi della disoccupazione, dove lo scrittore sembra utilizzare la lente dell'entomologo nell'analisi obiettiva e appassionata del malessere meridionale; e particolarmente si fissi l'attenzione sulla introduzione scenica di don Circostanza di cui, dopo la pagliaccesca esibizione dell'esordio, viene proposta la schedina comportamentale che, mediante il procedimento tecnico indicato, serve all'autore per illuminare fasce oscure della storia dei cafoni e risalire alla sorgente del malcostume politico-sociale.

Qui l'alternarsi dei tempi già indicati non sanziona il passaggio ad un diverso piano di registrazione tematica o ad una interpretazione del ventaglio interpretativo, ma realizza lo sforzo di rendere operante la dinamica preistorica degli eventi, attraverso l'anatomizzazione delle forme degenerative della democrazia borghese, in un tentativo di lotta contro le distorsioni irrazionali per restituire il divenire storico alla sua logica evoluzione collettiva.

La pagina si carica, in tal modo, di una tensione che gradualmente si articola in un intenso bisogno di capire le remote ragioni della rassegnazione, di esemplificare le cause presenti della schiavitú e del dolore per poter recuperare all'umanità oltraggiata il ruolo vitale nella storia.

Il procedimento trasfigurativo, che filigrana la cornice della rievocazione (catalogabile all'interno della richiesta teoretica del surrealismo), in realtà alimenta il furore della deformazione che balza dallo svolgimento narrativo nell'attimo in cui si volge a captare i risvolti drammatici della vicenda, e serve a far decantare nella monade, ora polemica e ora grottesca, i « colti » raggiri della farsa concertata a danno degli oppressi dai titolari dell'opulenza e del potere. Si perviene cosí ad una notevole efficacia rappresentativa, quando lo scrittore inclina ad esprimersi per immagini allegoriche o attraverso le risorse della metafora, in cui si riassumono l'ironia, la beffa, il grottesco; quando cerca di avvolgere nell'alone della favola un microcosmo di creature cloroformizzate dal sopruso per salvarle dalla negatività ed inserirle nel circuito della storia; quando piega la tipicità ottocentesca delle figure ad un inedito movimento narrativo, attraverso cui sperimenta uno strumento di approfondimento delle coordinate della psicologia contadina, per inocularvi gli ingredienti reattivi dell'immunizzazione dalla retorica delle istituzioni e dalla frode giuridica della classe prevaricatrice.

Per cui la linea del procedimento, che scorre sul binario del « rapporto » memoriale, plana a recepire le istanze della cronaca, a squarciare la velina del folclore per rischiarare una zona umana invasa da lacrime e da lutti, si libra ad inglobarne la deformazione grottesca nell'intermittente spirale espressionistica.

Documento eloquente risulta in tal senso, l'adunata ad Avezzano dei cafoni, dove l'incipiente illusione di giustizia si tramuta nella beffa che prelude al dramma, scandita dall'inflessione grottesca della verità.

La matrice surrealistica si carica di particolare evidenza nel racconto del sogno di Michele Zompa, dove il rapporto osmotico tra substrato realistico e quoziente simbolico coinvolge in un calibrato alternarsi di dissolvenza ed apparizione, di evangelismo ed eresia, di sincerità e farsa, l'arcaica religiosità dei cafoni; devia in piú punti lo scorcio bozzettistico verso nuclei di deformazione che non incrinano la perentorietà della linea di narrazione; si paluda di animismo gogoliano che vernicia la paradossale macchinazione del vassallaggio politico, nelle speculazioni politiche di don Circostanza; avvolge l'irrazionale istintivismo in un sotteso sentimento di *pietas* che, a differenza della narcisistica commiserazione della letteratura borghese, si tramuta in indignazione, in dichiarata rivolta.

Ma la piattaforma di fondo della narrazione è sostanziata da un crudo realismo che risulta paradigmato dalla fenomenologia della miseria, documentata dall'avversità della disposizione geografica di Fontamara, dall'inclemenza atmosferica, dalla povertà delle case, dalla bestiale condizione di vita, dalla durezza della fatica, che valica il limite della sopportazione fisica e psicologica:

> « Alla sera mi sentivo perciò stanco e avvilito come una bestia.
> "Domani non mi alzo" dicevo a mia moglie. "Matalé, non mi reggo piú in piedi, lasciami morire" » (p. 95).

La costellazione del dolore è dominata dalla tangente della rassegnazione scaturita da una specie di adattamento psicologico al millenario immobilismo che ha rovesciato sul mondo contadino valanghe di coartazione e di violenza; dall'ignoranza che congela nella paura l'ipotesi di estrarre dalla condizione di massa anonima i connotati personalizzanti della dignità, attraverso la scelta del rischio e del coraggio; dalla superstizione che maschera la patologica impotenza dei cafoni, dinanzi all'azione conculcatrice della tirannide e al carattere misterico degli avvenimenti. Sulla disperazione storica incrudelisce la prepotenza fascista che minaccia di spazzare via dalla geografia sociale l'intera categoria dei cafoni, facendo slittare il piano della raffigurazione verso la deflagrazione della tragedia.

La linea della narrazione, pur nella varietà dei moduli e delle strutture, risulta cosí incalzata dall'urgenza della verità morale.

Pertanto il romanzo di Silone si libera dalle restrizioni del regionalismo elegiaco e bozzettistico che permea le strutture di partenza e si avvia a sviluppare i sotterranei impulsi del naturalismo ottocentesco nell'aperta provocazione del materiale narrativo, attraverso cui nello statico universo del verismo verghiano si introduce il fermento rivoluzionario dell'ideologia, colta « spontaneamente » nel processo espansivo della realtà.

L'immobilità sociale risulta cosí sconvolta dall'irruzione di una rivitalizzante corrente di idee, dalla prospettiva della redenzione, e il neutralizzante grigiore del provincialismo appare cancellato mediante un inedito processo di culturizzazione (emblematizzato dalla fondazione del giornale dei cafoni), che estirperà dalla coscienza popolare i congegni dell'asservimento che hanno determinato la supina accettazione della schiavitú e conseguentemente del fascismo. Sarà il tentativo di liberazione da ogni sorta di condizionamento e la conquista del diritto e della libertà.

Il sentimento religioso, caratterizzato da una specie di evangelismo laico, sotto l'incalzare delle ragioni ideologiche, conquistate attraverso il processo di culturizzazione e di educazione della coscienza popolare al sacrificio, flette il misticismo popolare del cristianesimo in inderogabile esigenza rivoluzionaria.

Allo scetticismo aristocratico di Verga, scaturito da una visione immobile della società meridionale, governata dall'ingiustizia e dalla miseria, alla dinamica esplorazione del dolore che nell'opera di Alvaro sfocia in note di affabulante lirismo, Silone, con notevole anticipo su Jovine, in sintonia con la proposta gramsciana di una letteratura popolare, contrappone la denuncia di una realtà diversa dalla versione ottimistica del conformismo ufficiale, configurando sull'asettico ribellismo di un mondo arcaico e feudale un responsabile disegno di rivolta, teso ad incentivare nella massificata indifferenziazione il sopravvento di una inedita individualità collettiva.

In questo quadro si iscrive la novità di *Fontamara* che, pur tra tanta evidente semplicità stilistico-strutturale, supera i limiti del regionalismo e scuote l'asfittico clima della nostra letteratura con un esempio narrativo di dimensioni universali.

Nella figura di Berardo Viola e nel « fantasma » del Solito Sconosciuto, delineati con evidente concentrazione emblematica, Silone ha incarnato i contrapposti atteggiamenti della coscienza, sospesa tra il fallimento delle ragioni storiche della rivolta e il travestimento ideologico della speranza.

Con Berardo Viola Silone ha realizzato il personaggio nuovo, nella misura in cui è riuscito a decifrare la tormentata evoluzione della sua storia dalla primitiva protesta alla terapia sentimentale della sconfitta, alla presa di coscienza dell'inutilità dell'insurrezione individuale e del compromesso con le istituzioni identificabili con la classe avversa ai cafoni, alla religione del sacrificio come documento di meditazione, di responsabilizzazione collettiva, di educazione alla rivolta contro l'infame macchina dell'ingiustizia, per la rivendicazione della dignità vilipesa.

Nella volontà sacrificale di Berardo, il vangelo autoctono dei cafoni, nelle forme antiistituzionali e libertarie, sviluppa la dimensione religiosa di completamento dell'agonia di Cristo e anticipa i segni del cristianesimo ereticale di Silone che tempera il socialismo di partenza.

Il Solito Sconosciuto rappresenta il versante positivo dell'anima siloniana, che, sulla tragedia individuale di Berardo in cui « naturalmente » si prolunga l'itinerario ideologico di Silone dall'illusione rivoluzionaria alla sconfitta, rilancia letterariamente le ragioni ideali dell'impegno politico fino all'organizzazione rivoluzionaria. In una prospettiva piú vasta, il Solito Sconosciuto funge da personificazione emblematica della coscienza civile del XX secolo che espande nelle aree sociali piú neglette della storia ed innalza nella sfera del diritto il microcosmo subumano per il quale si immola Berardo.

È l'incarnazione del potenziale rivoluzionario di una condizione esistenziale, atavicamente mortificata dal dispotismo patrizio, la quale si avvia ad acquisire coscienza della propria identità, sotto il processo di culturizzazione stimolato dalle forze evolutive della storia che eroicamente elaborano le strutture permanenti del progresso.

Con la creazione di questa figura, invisibile ed onnipresente per riesumare dalle ceneri di quella tragedia una ipotesi di riscatto collettivo, Silone propone un personaggio insolito, decisamente nuovo, il personaggio non piú « negativo » e autodelimitato nel perimetro della sconfitta psicologica o nell'orgia del narcisismo lirico e memoriale che aveva caratterizzato la stagione verista e il romanzo psicologico del primo Novecento, ma un personaggio attivo, espressione di un'elevata coscienza morale che sperimenta la funzionalità della ideologia nella dinamica rivoluzionaria della storia. In lui, il caotico ribellismo di Berardo ed il dolore del mondo contadino, il rosario dei soprusi e delle violenze, del vilipendio e dello sfruttamento, storicamente subito dai miserabili, e il loro sogno di libertà e di giustizia risultano condensati in un'ipotesi di lotta politica che anticipa la Resistenza e convoglia le energie « eversive » delle masse popolari verso un modello di organizzazione attraverso cui si educa la coscienza popolare alle lotte del dopoguerra e alla speranza della redenzione attraverso la via della rivoluzione. In tale contesto, *Fontamara* costituisce il primo drammatico esempio della letteratura della Resistenza e prefigura un tipo di personaggio d'avanguardia che, sotto la pressione edificante delle idee, si avvia a tramutare la patologica inerzia ricettiva del personaggio ottocentesco in responsabile impegno civile, fa riemergere dall'orgia nominale del dannunzianesimo, che ha sterilizzato la nostra letteratura nell'alcova servile del conservatorismo borghese, una proposta inedita di romanzo, al cui esempio rivoluzionario si riferiranno, pur con diverse motivazioni narrative e rinnovate articolazioni strutturali, non pochi scrittori delle generazioni successive. Le situazioni angosciose di *Fontamara*, che testimoniano, come si è visto, la tragicità dei conflitti del proprio tempo oscillante tra vocazione reazionaria della borghesia neocapitalistica ed urgenza rivoluzionaria del mondo contadino, hanno come termine di rispecchiamento alcune connotazioni esterne, di natura strutturale, che inducono anche ad un'interpretazione « tragica » del libro.

Come nella tragedia classica, il protagonista individuale,

Berardo (come pure il protagonista collettivo, il popolo di Fontamara), è sconfitto da un agente esterno, la sopraffazione economica e sociale; il fattore emergente non s'irradia da una dimensione morale della coscienza, nella tragedia classica incarnata dalla divinità apocalitticamente giusta e punitrice, ma da una sadica macchinazione travestita di legalitarismo politico, il fascismo.

In virtú della sperimentata mediocrità morale attraverso cui si dispiega la coscienza meschina del potere, al codice dell'espiazione che nella tragedia antica redime l'inquietudine di una religiosità mediterranea nel riconoscimento della nullità umana dinanzi alla onnipotente divinità, Silone (dopo aver espiato la sua « colpa » di cafone in cerca di giustizia con l'esilio e letterariamente con l'immolazione di Berardo) sovrappone il diagramma della reazione positiva, l'indicazione della rivolta, in cui fermenta l'influsso del marxismo che evoca in *Fontamara* un'atmosfera di tragedia moderna, confermata dagli esiti temporaneamente fallimentari della scelta della nuova via, tuttavia rischiarata dalla ferma convinzione di sapersi schierati dalla parte della verità storica, dell'utopia e della ricerca senza termine.

La spedita connotazione fisico-anagrafica delle figure, che distanzia ulteriormente i personaggi dallo schematismo naturalista, la loro immediata immersione nella tessitura degli eventi senza rallentanti distinzioni fisionomiche e senza evasive spiralizzazioni psicologiche, ma attraverso la scarna propalazione della voce che imprime vigore fonico alla scansione delle sventure di Fontamara, diluiscono i segni individuali nel dinamismo corale della storia, in cui i cafoni, che introducono o commentano gli accadimenti, svolgono un ruolo di controcanto didascalico-lirico della vicenda centrale di Berardo, fino all'epilogo della storia dell'eroe su cui si sgomitola gradualmente il filo della vicenda collettiva.

I cafoni, che all'inizio recitano una parte complementare attorno alla figura assiale, in definitiva risultano un personaggio unico elevato a protagonista ufficiale del dramma, in cui si insediano i segni di una aprogrammatica progettazione che riecheggia l'esecuzione della tragedia. Nella esigenza di dar voce al dolore dell'umanità vilipesa, anche l'uso degli appellativi nominali riflette i parametri della disposizione interiore di Silone verso i contrapposti gironi della realtà sociale di Fontamara. I nomignoli dei cafoni non riproducono l'identità anagrafica, ma discendono dalla distinzione categoriale (Elvira - la tintora), da connotazioni fisiche o da una tendenza all'elisione, attraverso cui comunque si evidenzia un atteggiamento di identificazione affettiva dello scrittore (Matalé, Giuvà); quelli degli ottimati, invece, derivano dalla funzione politico-imprenditoriale (l'Impresario), dall'estrinsecarsi di una provenienza fagica (don Abbacchio, don Carlo Magna), dall'ambiguità comportamentale (don Circostanza), dalla vocazione alla rapacità sociale (donna Clorinda - il Corvo), in cui risuona un'intonazione dispregiativa ed è implicita la condanna morale della categoria privilegiata cui il personaggio appartiene.

La struttura dialogica, che segmenta l'impianto in interventi necessari alla declinazione delle disgrazie, piegata a scandire una concertazione teatrale, funge da espediente rivelativo della coralità, omogenea e differenziata dal vago populismo della narrativa para-verghiana, attraverso cui la povertà, l'esplicito dolore, la violenza fisica e psicologica, la prostrazione morale sedimentano, nell'ingenuo candore dell'anima popolare, le dimensioni spettrali della solitudine, il ritmo implacabile della tragedia che proietta la narrativa di *Fontamara* in un autonomo spazio d'avanguardia.

In tale registro di crudo realismo, in cui la tragedia interiore si espande nella tragedia collettiva, il paesaggio, in coerenza con la struttura generale del libro, ha vanificato l'accattivante cromatura georgica o lo smalto folcloristico di una letteratura millenaria, introducendo, sotto forma di esigui lineamenti anatomici, un'ossificata geografia della natura e dell'ambiente, che rispecchia l'arida topografia del dolore e pietrifica, in una raffigurazione « corporea », il senso della catastrofe collettiva.

Tra vicenda umana e fenomenologia naturalistica si instaura un rapporto permanente di simbolica corrispondenza e di movimento « affettivo » che incarna in filamenti infinitesimali le rifrazioni naturalistiche nel tragico flusso degli avvenimenti:

« Piovve dunque per tre giorni, ma non in una quantità eccezionale; la cima della montagna sopra Fontamara era avvolta da un nuvolone nero che non lasciava capire nulla. E all'alba del terzo giorno venne giú dalla montagna, col fragore di un terremoto, in direzione della contrada dei Serpari, come se la montagna crollasse, un'enorme fiumana d'acqua che portò via il campicello di Berardo, come un affamato vuota un piatto di minestra, scavando la terra fino alla roccia e disperdendo nella valle le piantine verdi del granoturco. Al posto del campo coltivato rimase un'enorme fossa, una specie di cava, una specie di cratere » (pp. 101-102).

Lo strumento linguistico, a cui lo scrittore ha fatto ricorso, al di là della classificazione estetica dei risultati artistici, nella sua assoluta nudità incarna esemplarmente il proposito etico-politico di fedeltà di Silone agli schiavi della sua terra.

La questione della lingua (che potrebbe rivelare implicazioni polemiche) evidenzia la sua funzione ideologica nella prefazione di *Fontamara*, dove l'autore, nell'affrontare il problema dell'espressione, si distanzia da utopistiche e restrittive articolazioni gergali e dialettali e, rimanendo fedele alla scarna sintassi della psicologia contadina, intessuta di sentimenti e bisogni elementari, trasferisce nel registro dell'espressione il problema della società contadina meridionale che, nel tentativo di reclamare il diritto di cittadinanza nella storia, reperisce nella lingua italiana lo strumento idoneo a raccontare la propria epopea di sofferenza, a testimoniare la legittimità delle ragioni della rivolta, senza la deformazione della retorica del linguaggio e dello stile:

« A nessuno venga in mente che i Fontamaresi parlino l'italiano. La lingua italiana è per noi una lingua imparata a scuola, come possono essere il latino, il francese, l'esperanto.
[...] Ma poiché non ho altro mezzo per farmi intendere (ed esprimermi per me adesso è un bisogno assoluto), cosí voglio sforzarmi di tradurre alla meglio, nella lingua imparata, quello che voglio che tutti sappiano: la verità sui fatti di Fontamara.

Tuttavia, se la lingua è presa in prestito, la maniera di raccontare, a me sembra, è nostra. È un'arte fontamarese. È quella stessa appresa da ragazzo, seduto sulla soglia di casa, o vicino al camino, nelle lunghe notti di veglia, o accanto al telaio, seguendo il ritmo del pedale, ascoltando le antiche storie » (pp. 29-30).

Da tale teorema linguistico, discende la necessità di recuperare la parola nella sua arcaica nudità, nella sua immediata adesione alla realtà, nella capacità di delineare le cose nella loro umorale verità:

« Non c'è alcuna differenza tra questa arte del raccontare, tra questa arte di mettere una parola dopo l'altra, una riga dopo l'altra, una frase dopo l'altra, una figura dopo l'altra, di spiegare una cosa per volta, senza allusioni, senza sottintesi, chiamando pane il pane e vino il vino, e l'antica arte di tessere, l'antica arte di mettere un filo dopo l'altro, un colore dopo l'altro, pulitamente, ordinatamente, insistentemente, chiaramente » (pp. 30-31).

Ne consegue un'utilizzazione del segno letterario come strumento di traslazione fonica della realtà mediante le risorse espressive nominali restituite, attraverso lo sgombero dei segni ambivalenti, alla vigorosa pregnanza etimologica. Il testo risulta caratterizzato da una topografia lessicale, priva di stratificazioni sofistiche e capace di attirare, in un'essiccata gestualità linguistica, i termini meno dialettici e piú storicizzati di un ancestrale dolore.

Il criterio selettivo del catalogo nominale trae origine dalla precettistica morale che presiede all'intera operazione narrativa di Silone e la convocazione del sostantivo o della voce verbale, nel lapidario configurarsi della rappresentazione, è determinata da un codice di necessità sottratto alla deturpazione dell'aristocraticismo rondesco e all'influenza narcotizzante della prosa solariana, e restituito alla forza centrifuga delle sedimentazioni interiori, al bisogno degli oggetti e delle cose di riscattarsi dall'intervento rallentante dell'artista per articolarsi in immagini, innalzarsi a testimonianza, alla necessità delle immagini di riscattarsi dall'asservimento utopistico, per configurarsi in ipotesi di rivoluzione.

Il linguaggio si sottrae, in tal modo, alle sollecitazioni narcisistiche della finzione narrativa e diventa veicolo di trapasso da un piano di recupero memoriale ad una dimensione contestativa, nella misura in cui riesce a suscitare rapporti di autenticità, attraverso cui si assiste al ripudio del lessico ufficiale e allo smascheramento dei rapporti di falsità e di ipocrisia congeniti alla società fascista.

Pertanto la semplicità non si identifica con una depauperazione culturale o con una presunta impotenza creativa della fantasia, ma si insedia come esponente funzionale di un'operazione linguistica alimentata dal plasma ideologico e attraverso cui si combatte la malattia psicologica del fascismo, s'invera la redenzione sociale degli oppressi e l'utopia riguardante i destini ultimi dell'umanità. Pertanto i congegni tecnici attraverso cui tale linguaggio esplica la sua forza risultano organizzati attorno al denominatore comune della verità, alla tendenza a connotarsi come paradigma di una storia (meridionale) e di una spinta psicoideologica (universale).

L'andamento sintattico risulta semplificato ai legamenti essenziali e la frase si accumula mediante un tipo di periodizzazione che ha ridotto la spirale della subordinazione alle proposizioni elementari, per cui l'andamento paratattico visualizza il ragguaglio immediato, attraverso l'evidenza simultanea dei connotati tematici.

La paratassi convoca su una stessa linea la semplicità della psicologia contadina e la tendenza dello scrittore alla rappresentazione concreta dei fatti che riesce particolarmente in un tipo di organizzazione sintattica e lineare, senza forzature, prevalentemente riscontrabile nei dialoghi, nello scorrimento della verbalizzazione memoriale, dove l'assenza dell'astrazione tonalizza la plasticità della scrittura, all'interno della quale gli oggetti ed i sentimenti si rifrangono con tutta la loro carica visiva ed emozionale, senza provocare sbalzi nel procedimento serrato della narrazione:

> « Davanti alla cantina di Marietta, attorno al tavolo messo per strada, ci fermammo Michele Zompa ed io; e subito dopo sopravvenne Losurdo con l'asina che aveva portato alla monta; e dopo venne anche Ponzio Pilato con la pompa per insolfare sulla schie-

> na; e dopo arrivarono Ranocchia e Sciarappa che erano stati a potare; e dopo arrivarono Barletta, Venerdí Santo, Ciro Zironda, Papasisto e altri che erano stati alla cava di sabbia. E tutti insieme parlavamo della luce elettrica, delle tasse nuove, delle tasse vecchie, delle tasse comunali, delle tasse statali, ripetendo sempre la stessa cosa, perché son cose che non mutano. E senza che noi ce ne accorgessimo, era giunto un forestiero. Un forestiero con la bicicletta. Era difficile dire chi potesse essere, a quell'ora. Ci consultammo tra noi, con lo sguardo. Era veramente strano. Quello della luce non era. Quello del comune nemmeno. Quello della pretura nemmeno. D'aspetto era un giovanotto elegantino. Aveva una faccia delicata, rasata, una boccuccia rosea, come un gatto. Con una mano teneva la bicicletta per il manubrio, e la mano era piccola, viscida, come la pancia delle lucertole, e su un dito portava un grande anello, da monsignore. Sulle scarpe portava delle ghette bianche. Un'apparizione incomprensibile, a quell'ora.
> Noi cessammo di parlare » (pp. 36-37),

dove il ricorso alle iterazioni « e dopo »... « e dopo », « e »... « e », non solo schematizza la spontaneità popolare del racconto ma nella incalzante progressione ritmica assume l'andatura della ballata popolare, tramutandosi, nella strategia dell'elaborazione, in espediente tecnico, idoneo a scandire la sequenza delle comparse convocate sull'ara della storia, fino all'ingresso improvviso del carnefice.

La paratassi realizza un'esigenza di comunicativa popolarità, permea la struttura dialogica che si accampa su posizioni parallele al linguaggio parlato, ne ingloba la fraseologia quotidiana, esponendo la connotazione della saggezza popolare all'azione livellatrice di soluzioni astoriche ed irrazionali della fatalità:

> « Non c'è nulla da fare, è la guerra, non c'è nulla da dire, è il destino: ogni guerra quando arriva, arriva cosí » (pp. 151-152).

All'interno di una tale linea espressiva, ordinata secondo

un iter non casuale (ma per restituire consapevolezza alla funzionalità della parola nella trama delle eterodosse correlazioni), s'accampa l'estrema semplificazione del periodo, che nella classica simmetria dell'andatura relazionale di Giuvà ricorda la stesura dei resoconti di partito o è ridotto alla secca sillabazione della frase, la cui potenza drammatica si converte in valenza tragica che traduce il senso della solitudine e della negazione:

> « "La libertà di parlare in pubblico?" chiedeva Berardo in tono di scherno. "Ma noi non siamo avvocati. La libertà di stampa? Ma noi non siamo stampatori. Perché non parli piuttosto della libertà di lavorare? della libertà di avere la terra?" » (p. 239).

Il dialogo accentua l'insistenza tragica di *Fontamara*, quando riduce gli esponenti funzionali alla balenante successione della rassegna interrogativa e del bilancio esistenziale del massacro che è bilancio tragico della stessa storia, dove il riscontro ripetitivo della risposta rafforza la vera sostanza della religiosità popolare:

> « "Scarpone è scappato?" domandò mio figlio.
> "Pace all'anima sua" rispose Cipolla facendosi il segno della croce.
> "Venerdí Santo è scappato?"
> "Pace all'anima sua" rispose Cipolla ripetendo il segno della croce.
> "E Pilato?" domandai.
> "Ha preso la via della montagna."
> "E il generale Baldissera?"
> "Pace all'anima sua" » (pp. 258-259).

Notevole il ruolo del soliloquio che funge da registrazione fonografica delle oscillazioni dell'anima, dove s'intreccia un allarmato esame di coscienza, attraverso la confluenza del tormento morale e del dubbio storico, che dà linfa all'ipotesi di salvezza o di tragedia, delinea una soluzione sociale fondata sulla responsabilità.

Nel progetto di estrema adesione alla parola che si tramuta in una specie di realismo verbale, capace di proiettare su di un piano di trasparente tangibilità le ultrafaniche correlazioni delle cose, senza l'intercessione di alchimie verbali, il ribaltamento analogico genera una funzionalità tesa a lubrificare nella traslazione dell'immagine il drammatico *habitus loquendi* della tensione narrativa.

Le similitudini, in numero di 73, riconfermano la fisiologia popolare del romanzo e tendono ad imprimere al dettato la connotazione della spontaneità e della naturalezza, attraverso l'instaurazione di equivalenze tra condizione umana e realtà zoologica che stremano le vibrazioni di fondo, nel riciclaggio microcosmico della figurazione, con il prolungamento del tempo narrativo sul piano della comparazione indefinita, risultano rivibrate in aree liriche dense di *vis* tragica, le vicende piú articolate del disegno d'origine:

> « [...] l'abitato sembra un gregge di pecore scure e il campanile un pastore » (p. 21).
> « [...] una boccuccia rosea, come un gatto » (pp. 36-37).
> « Andavamo avanti come un branco di pecore con la lingua fuori » (p. 56).
> « [...] eravamo come un armento catturato e requisito » (p. 61).
> « Alla sera mi sentivo perciò stanco e avvilito come una bestia » (p. 95).
> « E cosí Berardo dové rimanere a Fontamara, come un cane sciolto dalla catena » (p. 97).
> « [...] e noi eravamo violentemente sballottati l'uno contro l'altro, come un branco di vitelli » (p. 134).
> « Rimanemmo accanto alla porta della rimessa come un branco di pecore senza cane » (p. 143).
> « Maria Grazia, sotto di noi, urlava come un animale che sta per essere sgozzato » (p. 156).
> « [...] indifeso e sperduto come un verme sulla faccia della terra » (p. 199).
> « [...] un povero cafone si sentiva come una pecora senza padrone » (p. 200)

dove la similitudine, astratta da ogni intenzione descrittiva e assoggettata alla ribollente materia delle cose che urgono, immerge le movenze esplicative del potenziale narrativo nella scultoria fissità di immagini incarnate nella quotidianità dei cafoni.

La tipologia tematica del paragone, desunta dalla gamma dei fenomeni fisico-naturali o dalla frequenza quotidiana con la realtà usuale, accentua l'accensione realistica con il timbro di una contenuta secchezza che recide l'accezione scontata e si abbandona all'impulso di trasferire il senso di desolazione e di sgomento nel circuito figurale, dove gli invisibili allacciamenti psicologici della condizione interna di dolore lievitano, nell'incisiva sobrietà di una dimensione di sconfitta e di violenza, di sofferenza e di morte, una sincronica aderenza al crudo realismo di fondo:

> « [...] una povera polla d'acqua, simile a una pozzanghera » (p. 49).
> « Sulla strada del piano il caldo era come in una fornace » (p. 56).
> « Il polverone della strada ci aveva imbiancate come se fossimo state al molino » (p. 56).
> « [...] lo sbatacchiò una diecina di volte [...], come uno straccio » (p. 111).
> « [...] un rumore monotono e regolare, dapprima simile a quello degli alveari, poi a quello delle trebbiatrici » (p. 149).
> « E all'improvviso fu come se cadesse su di me una pioggia di fuoco. Come se la schiena si aprisse e vi entrasse del fuoco. Come se sprofondassi in un precipizio senza fondo » (p. 243).
> « [...] come qualcuno che ha fatto testamento, prima di morire » (p. 246)

o piega il procedimento analogico a condensare le corrispondenze interiori e i segni esterni della sofferenza nel contratto disegno del tragico epilogo, imbastito sul tessuto della fenomenologia evangelica del dolore, in cui si materializza il senso di una religiosità cristiana, concepita non come visualizzazione di una sorta di venuta redentrice, ma come termine di riferimento dell'umana sofferenza, come simbolo di imitazione di Cristo:

> « La madre gli stava aggrappata a una spalla [...], aggrappata come Maria al calvario » (p. 102).

> « E alla fine lo ricondussero in cella [...], come Cristo, quando fu deposto dalla croce » (p. 244).
> « [...] era ridotto un povero *ecce homo* » (p. 245).

La similitudine, pertanto, realizzata attraverso l'espediente tecnico della congiunzione « come » o asindetoticamente mediante, cioè, l'inglobamento del concetto ripetitivo nella forma verbale « era ridotto », potrebbe porsi come cifra esemplificativa o chiave di lettura della costellazione linguistica siloniana che sarebbe interessante esplorare sotto tale ottica.

In tale chiave di sorvegliata misura, l'aggettivazione diventa un rilevatore complementare della tecnica descrittiva che non cede all'allettamento della ridondanza, ma con l'intervento essenziale mira a non alterare i contorni della fisionomia primitiva dell'orditura, e ad approfondire l'atmosfera interna delle coordinate tematiche, senza invalidare la plastica condensazione della parola. Pertanto gli aggettivi non incidono sul tempo di resa, né contaminano il significato sostanziale; ma con una diseguale distribuzione, che registra frequenze piú intense all'interno delle aree vitali del fermento morale dello scrittore, assumono un ruolo di riqualificazione drammatica o ironica del sostantivo e del segmento narrativo che li ospita, attraverso cui si specifica la posizione « critica » del narratore nei confronti dei personaggi e delle situazioni.

Cosí la tavola attributiva oscilla attorno ad una gamma di toni omologa alle complesse esigenze dell'illustrazione, con il conseguente abbassamento del tono linguistico che si stabilizza su livelli « parlati » equivalenti all'immediata risonanza interna della realtà, filtrata attraverso il patrimonio della cultura contadina.

Nella descrizione « corporea » di Fontamara, la nudità dei lineamenti esterni è resa mediante la povertà della natura aggettivale su una linea di minima dilatazione che tende a completare la rigidità della atmosfera della miseria:

> « [...] un centinaio di casucce [...] irregolari, informi, annerite dal tempo e sgretolate dal vento [...] coi tetti malcoperti da tegole » (p. 20);
> « [...] terra pietrosa [...] pochi campi [...] magra ricchezza » (p. 49).

Altrove l'ossessiva iterazione dell'aggettivo, nel binomio espressivo che persistentemente muta l'elemento nominale, rimanda un sistema di correlazioni semantiche tra una sorta di monotona opacità delineata sull'onda dell'angoscia e l'afflittivo immobilismo della storia:

> « [...] per vent'anni la solita terra, le solite piogge, il solito vento, la solita neve, le solite feste, i soliti cibi, le solite angustie, le solite pene, la solita miseria » (p. 21)

o milita alla tipicizzazione ironica del personaggio, mediante una definizione che tende a cristallizzare l'immagine nella goffa teatralità dell'apparenza:

> « [...] don Abbacchio, grasso e sbuffante, col collo gonfio di vene, il viso paonazzo [...] un'espressione beata » (p. 76).
> « [...] la figura grassa, sudante e sbuffante del canonico don Abbacchio » (p. 136)

o prefigura l'eterodossia degli eventi con un geroglifico avvertimento:

> « [...] strani avvenimenti » (p. 19).
> « [...] apparizione incomprensibile » (p. 37)

o sottolinea il significato emblematico e rivoluzionario della morte di Berardo con un'indicazione scontata:

> « Un esempio nuovo » (p. 247).

La punteggiatura risulta ridotta alla funzione di sottolineatura essenziale che, nella funzione del punto e della virgola, senza eccessiva discriminazione di ruoli, serve a scandire il flusso segreto dei sentimenti, a ritmare le pause del dramma, a dare respiro alle pulsazioni dell'angoscia, con un'andatura che sembra riproduca dal profondo le fasi incalzanti del dramma, proiettato verso la tragedia dalle volute degli interrogativi. Il diagramma sintagmatico, che talvolta riecheggia il modello di stesura dei resoconti di partito, risulta cosí contraddistinto dalla lineare armonia del periodo che, attraverso la funzione di approfondimento e di definizione delle subordinate, imprime necessità storica al discorso, ne oggettivizza la concretezza.

Il dispiegamento di un codice di coerenza, all'interno degli eterogenei livelli di elaborazione, che tonalizza variamente l'indice espressivo secondo la mutevole intensità di ebollizione dei sotterranei crateri dell'ispirazione, insedia salde correlazioni di equivalenza tra i levigati piani della stratificazione artistica (struttura, dialogo, sintassi, aggettivazione) e il nucleo morale che si espande in tutte le attività dello spirito di Silone, e letterariamente si esprime nell'acquisizione dell'arte della dissimulazione come strumento di verità.

La ricerca di Silone, svolta attraverso i moduli della deposizione e del bilancio, affonda nei parametri dell'interiorizzazione i fatti e le contraddizioni della realtà, si risolve in anabasi dell'intelligenza nelle labirintiche bolge della coscienza, per decifrare l'itinerario del trapasso dal magma delle istintive reazioni innanzi all'interdizione sociale di una categoria umana relegata nel ghetto della civiltà, alla scelta contraccettiva della rivolta, all'adesione all'ideologia che rappresenta la coniugazione scientifica dei piú elementari diritti dell'uomo, acquista il valore di verifica della tesi rivoluzionaria come strumento risolutivo del dramma storico della plebe.

PAGINE SCELTE DALLA CRITICA

Silone narra l'urto tra il mondo degli umili e la falsità del regime

Ignazio Silone ha trovato il suo pubblico (il piú vasto pubblico internazionale) con i suoi romanzi, scritti in esilio, durante la dittatura fascista. Il tema naturale dei suoi libri, e poniamo di *Fontamara*, è la memoria della sua terra e principalmente dei suoi « cafoni » sotto la tragica falsificazione di idee, affetti, costumi che l'ultima dittatura italiana tentò di operare fin nei paesi piú ritrosi e nascosti.

Con una fantasia carica di umana sofferenza e di intensa religione sociale, principalmente verso gli umili; sotto lo stimolo pungente, che fu la ragione stessa del suo esilio, l'avversione ad un regime di falsità; ma con la malinconia affettuosa di ogni esilio e la lontananza che gli governa il ricordo, e una certa letizia ironica che allenta le tensioni, Silone rappresenta la vita dei « cafoni » nella terra arida e brulla, ove non c'è bosco e non c'è usignolo (« nel dialetto non c'è neppure la parola per designare l'usignolo ») e racconta il rapporto o forse l'urto tra la tradizione campagnola e l'arbitrio del regime, con le sue gerarchie e le sue condanne all'entusiasmo.

Nell'ultima letteratura italiana quest'arte, che a noi giunse clandestina, è un po' spaesata; giacché il Silone non può essere avvicinato a quei nostri romanzieri che son divulgati in virtú della loro franca intesa col medio pubblico conformista (quel pubblico si sarebbe sentito bruciare le dita a una pagina di Silone), e non può essere accostato alle esperienze dei narratori delle cosiddette giovani scuole, usciti dalle esperienze di stilisti veri o falsi, di ermetisti, ecc. Ma essa guadagna per la chiarezza del quadro quel che sembra perdere per altri rapporti di elaborazione artistica. E infine se egli non è un narratore nato, non so piú che cosa possano essere romanzi e racconti spontaneamente ordinati dalla virtú dell'arte.

(Francesco Flora, *Storia della letteratura italiana,* vol. V, Milano, Mondadori, 1957, pp. 633-634.)

L'ironia, il grottesco, la beffa, tra le forme piú felici di Fontamara

È mancata a Silone l'esperienza di una letteratura di ricerca, di un'indagine formale contemporanea alla ricerca morale: un approfondimento linguistico sarebbe stato contemporaneamente chiarimento morale e concettuale di motivi, che invece rimangono nella pagina narrativa ancora incerti. L'autore raggiunge meglio una sua forza rappresentativa quando entra nel mondo e nel linguaggio dei suoi cafoni, li riassume e li accoglie; l'ironia, il grottesco, la beffa, sono tra le forme piú felici, ispirate e riprese direttamente, molto spesso, dalla fantasia, dai miti e dalla vita dei paesani della Marsica, e ne continuano e approfondiscono il senso amaro e duro della realtà. Silone trova le sue parole piú giuste quando vuole adeguarsi al mondo dei cafoni e soprattutto ripetere con segno intellettuale l'ironia che, consapevole o no, li difende dalla retorica ingannevole delle istituzioni e delle classi sopraffattrici; nelle evasioni e sovrapposizioni mistiche, sentimentali e moralistiche, gli scarseggia una corrispondente esperienza letteraria e non può rifarsi a questa ispirazione ironica e intellettuale, a questo mondo dialettale. *Fontamara*, scritto nell'estate del 1930, è il volume piú compiuto e piú organico, anche se negli altri non mancano dei tratti felici e delle esperienze morali. Si avverte nella prefazione: « A nessuno venga in mente che i Fontamaresi parlino l'italiano. La lingua italiana è per noi una lingua imparata a scuola, come possono essere il latino, il francese, l'esperanto. La lingua italiana è per noi una lingua straniera, una lingua morta, una lingua il cui dizionario, la cui grammatica si sono formati senza alcun rapporto con noi, col nostro modo di agire, col nostro modo di pensare, col nostro modo di esprimerci ».[18] Nel corso del libro ritorna questo motivo, che tende addirittura a diventare soggetto e impulso del romanzo: « Un cittadino e un cafone difficilmente possono capirsi. [...] Noi capivamo tutto da cafoni, cioè, a modo nostro. [...] In gioventú sono stato in Argentina, nella Pampa; parlavo con cafoni di tutte le razze, dagli spagnuoli agl'indii, e ci capivamo come se fossimo stati a Fontamara; ma con un italiano che veniva dalla città, ogni domenica, mandato dal consolato, parlavamo e non ci capivamo; anzi, spesso capivamo il contrario di quello che ci diceva. Lí, nella nostra fazenda, c'era perfino un portoghese sordomuto, un peone, un cafone di laggiú: ebbene, ci capivamo senza parlare. Ma con quell'italiano del consolato non c'erano cristi »; « La gente istruita è sofisticata e si arrabbia per le parole ».[19]

L'antica protesta di Renzo, che diffida di chi sa leggere e scrivere, di chi vuole ingannare o ha voluto ingannarlo, don Abbondio, l'Azzeccagarbugli, Ambrogio Fusella, si perpetua nella protesta e soprattutto nella diffidenza dei cafoni.

Lo scrittore, come i suoi personaggi, ha voluto questo rifiuto pregiudiziale della lingua italiana, pericoloso per la sua arte. Per questo, soprattutto, le indagini sentimentali e morali rimangono senza sostegno linguistico. *Fontamara*

[18] Ignazio Silone, *Fontamara*, Milano, Mondadori, 1949, p. 15.
[19] *Ibidem*, pp. 23, 29.

vorrebbe essere affidato a tre voci: tre cafoni, un vecchio alto e magro, sua moglie e suo figlio, per sfuggire alla polizia della dittatura fascista, si trovano all'improvviso sbalzati a Parigi, e raccontano all'autore gli straordinari avvenimenti di Fontamara. Le differenze tra le voci non sono né molto nette, né molto efficaci, ma giovano per conservare l'autore in una posizione obiettiva e realistica. Il popolo di Fontamara, docile, o meglio rassegnato, abituato da secoli allo sfruttamento e all'inganno, si trova a poco a poco costretto alla ribellione dal peso ancora piú ingiusto e frodolento del fascismo. L'ironia e la polemica sociale e politica vengono a maturarsi dentro lo stesso mondo primitivo. La costruzione intellettuale dell'autore riprende, dalla fantasia popolare e dal folklore, delle forme ingenue e sapienti di deformazione, che coincidono con atteggiamenti espressionistici. Perciò lo scrittore è riuscito talvolta a unire l'aspetto anonimo e inumano che il popolo vede nell'autorità e nei potenti, nei simboli e aspetti della vita e del destino, con le esperienze e le consuetudini della civiltà letteraria, soprattutto teatrale, europea. I personaggi hanno perso i loro nomi, e vivono soltanto in una caratterizzazione sociale ed esteriore. L'Impresario, per esempio, l'uomo che si appropria dei beni del comune e con raggiro toglie l'acqua e le terre ai contadini, è non una persona ma un personaggio tragico, inumano e grottesco del destino di Fontamara. Berardo Viola a poco a poco si persuade dell'ingiustizia, di cui, insieme con gli altri, è vittima; vuole ribellarsi, è arrestato, la polizia lo uccide in carcere. La storia di Berardo Viola non manca di concentrazione evidente. Egli è il personaggio piú completo del libro; generoso, impulsivo, innamorato di una donna idealizzata, ma ancora reale, cerca di uscire, con la sua forza e con il suo lavoro, dalla miseria e dall'abiezione, fino a che, persuaso che né il lavoro, né la rivolta individuale giovano a nulla, accetta l'idea rivoluzionaria dell'Avezzanese. Non nuoce a questa figura il coincidere della descrizione e del racconto con delle forme di ironia e di simbolo, secondo la linea espressionistica: « Donna Clorinda tiene due candele accese di fronte alla statua di Sant'Antonio per distruggere il potere delle banche » [20] e Berardo viene arrestato e dichiara di es-

[20] *Ibidem*, p. 167.

sere il Solito Sconosciuto. Intorno a lui le figure dei cafoni hanno qualcosa di tragico e di profondo e, nella loro ignoranza, vedono e sanno piú delle persone istruite; parlano con immagini, con grandiose allegorie. Questo è il punto piú sicuro, piú forte e a un tempo piú personale dell'artista Silone e vi coincidono diversi atteggiamenti, anche apparentemente contrastanti, ingenui e insieme ingegnosi, frutto di ignoranza eppure facilmente riconducibili ad una cultura consapevole e raffinata. [...]

La grande adunata nel capoluogo, per ascoltare le decisioni del nuovo governo di Roma, sulla questione del Fucino, è rappresentata con fantasia visiva e grottesca degna in certi momenti della matita del Grosz: il viaggio del camion dei fontamaresi con lo stendardo di S. Rocco al posto del gagliardetto, l'automobile lucidissima del prefetto, le grida obbligate dei poveri cafoni, diventano un grottesco ricco di efficacia satirica; talvolta la rappresentazione ha qualcosa della bambocciata: l'uscita dei commensali dal grande banchetto dell'Impresario, l'aspetto ripugnante dei notabili, si riflettono con asprezza nella violenza e nella deformazione. I richiami religiosi e mistici, cosí frequenti in seguito, sono piú limitati e hanno funzione ironica.

(Claudio Varese, *Occasioni e valori della letteratura contemporanea*, Bologna, Cappelli, 1967, pp. 151-155.)

La lingua italiana tradisce la realtà dei cafoni

Nell'usare la lingua italiana ch'è estranea allo spirito dei « cafoni », si comincia a tradire una realtà, quella che poteva nascere, e non il mezzo che si impiega. [...] raccontata dagli interessati, (la storia) perde in plausibilità perché l'esposizione guida in sostanza lo svolgersi e il coordinarsi dei fatti secondo il già confuso giudizio dell'autore. [...] Rivela quindi una coscienza delle cose; apre, sia pur tardi, degli scenari; mostra dei meccanismi, perfidi o ingenui. Ma questa coscienza non è il tema del racconto, non include il suo dramma, la fase di conquista dei dati del mondo e delle cose avverse nella conoscenza dei « cafoni ». [...] Donde viene, questa coscienza di fatti « raccontati » che non dovrebbe diradare l'ignoranza? E che di fatto non la dirada in una lotta aspra e sorda, non delinea le posizioni reciproche in tutta la loro ostilità e nella loro stessa unilateralità e insufficienza perché gli interessati, pur raccontando e sapendo, per la struttura del racconto è come non sapessero; hanno quindi in prestito la coscienza dell'autore, che in loro diventa il loro simile. In tal modo il romanziere neppure si riserva, come orizzonte proprio o intenzione inespressa e conclusiva, il rapporto continuo fra ciò che costituisce la realtà complessiva, i fatti minori in cui gli interessati si muovono e il modo in cui li vedono. È vero che sembra un po' il loro destino e il loro compito quello di agire in maniera da prestarsi piú facilmente alle sopraffazioni e di non riuscire neanche a contrastare i pericoli che in qualche modo intuiscono tramati ai loro danni; ma nel complesso del libro, ciò non giunge ad essere motivo, punto di sviluppo, dimensione estrema di verità.

(Giosuè Bonfanti, *I. Silone: « Fontamara »*, su « La Rassegna d'Italia », Milano, 1949.)

I contadini lucani di Levi dopo quelli abruzzesi di Silone

Non si può dimenticare che i contadini lucani di Levi seguono e non precedono i contadini abruzzesi di Silone, mentre per molti lettori italiani, piú ingenui e meno informati, Silone rischia di essere visto se non come un seguace, almeno come un compagno di cammino. [...] È doveroso riconoscere che tutto quel realismo senza finzione, quel doloroso squallore naturale, che tanto interessa nel cinema e nel romanzo italiano, era già nelle pagine di Silone, al quale spetta comunque, direttamente o no, una funzione di anticipatore.

Non so quanti registi italiani, che si sono sentiti poco attratti dal tema di *Fontamara*, hanno poi pensato che essi guardavano il mondo e l'Italia del dopoguerra con gli stessi occhi dell'autore di *Fontamara.* Forse l'importanza dell'opera di Silone tocca piú il piano sociale che quello strettamente letterario; ma, se si superano alcune ostilità della forma, si è costretti a riconoscere che il peso dell'opera di Silone, come interpretazione delle vicende del nostro tempo, è incalcolabile. [...] L'esperienza della solitudine fortemente sentita da Silone, risponde alla psicologia contadina. [...] L'umanità di Silone è un'umanità atomizzata dalla sorda ribellione all'ordine di cose esistenti, e che pure sente, nel profondo, l'esigenza di una unione per il proprio riscatto.

Cosí accade che, da essa, emergono talvolta gli eroi. [...] Egli è uno scrittore che ha un forte senso delle sue responsabilità verso i personaggi del racconto: egli sente che il loro destino dipende dalla maggiore o minore forza dello scrittore, dalla sua capacità, o meno, di realizzarli in una umana certezza. Cosí fuori di ogni ambizione letteraria, e pure essendo un autore che tende per natura all'umorismo o addirittura al sarcasmo, egli realizza talvolta nella pagina quel grado elevato di emozioni che gli antichi chiamavano cosí bene « il sublime ». E lo realizza forse ancora piú efficacemente in alcuni suoi saggi di prosa politica e morale, che non nei romanzi. [...] Silone offre un esempio molto istruttivo della differenza che passa fra un tipo di scrittore, apparentemente modernissimo (com'è qualche prosatore d'arte), ma in realtà provinciale; e uno scrittore in apparenza provinciale, ma in realtà modernissimo. La critica letteraria italiana non sembra molto incline a compiere con esattezza una simile distinzione.

(Antonio Russi, *Gli anni della antialienazione (Dall'Ermetismo al Neorealismo)*, Milano, Mursia, 1967, collana « Civiltà letteraria del '900 ».)

Fontamara *tra inquietitudine sociale e misticismo*

Il testo fondamentale di Silone resta *Fontamara* (1933: prima edizione italiana, 1947): storia degli inganni, delle oppressioni, delle ingiustizie subite dai contadini e dai braccianti meridionali (protagonista è un piccolo paese dell'Abruzzo) da parte della collusione del fascismo e i padroni che ripete la tradizionale alleanza dello stato con i detentori del potere economico. È un'opera di grande probità morale e letteraria, come, del resto, tutti gli scritti di Silone: la parte del « positivo » vi è rappresentata dallo sforzo ancora limitato di prendere coscienza, da parte di pochi, della situazione, di lottare politicamente contro lo stato delle cose, ma il senso autentico dell'opera sono la protesta contadina, la denuncia dello sfruttamento, dell'oppressione, proprio come nel realismo dell'800, con l'uguale convinzione nell'efficacia, come risoluzione del problema, della letteratura che rivela gli inganni, si fa voce di chi soffre ed è calpestato, ma con in piú rispetto alla tradizione populista a cui si riattacca, un'inquietitudine novecentesca di ricerca di fedi politiche e di amarezza di disinganni, e una vena di misticismo che esattamente consuona anche con le memorie ancestrali della vita contadina, delle leggende della terra.

(Giorgio Bàrberi Squarotti, *La narrativa italiana del dopoguerra*, Bologna, Cappelli, 1965, p. 113.)

L'autenticità del « modo di raccontare » nella riscoperta del mondo contadino in una prospettiva storica

[...] *Fontamara* va letto come romanzo e come pamphlet, come saggio di costume, come documento di una condizione umana, di una realtà sociale nel quadro di una battaglia politica, che si identifica con la lotta contro il fascismo nel suo obiettivo immediato, ma altresí contro gli antecedenti e contro gli eventi causa del fascismo. Comunque il segreto della fortuna all'estero di un romanzo come questo è ben lontano dal fatto che esso offre agli stranieri una spiegazione del fascismo in termini di folklore meridionale italiano: il suo forte contenuto di protesta ed insieme la sua immaginosa costruzione di storia popolare annullano quelle suggestioni di una narrativa del naturalismo italiano che in un modo o nell'altro avrebbero potuto avere ispirato talune intenzioni dello scrittore. Assai piú che la fatale eterogenesi dei fini sempre operante nel lavoro di un artista autentico, è assai probabile che una sorta di istintivo storicismo (ma non si può dimenticare che una radice storicistica è nel fondo hegeliano di comunista militante) abbia fatto sí che *Fontamara* sia un documento fondamentale di una narrativa italiana della Resistenza magari « ante litteram », e insieme uno dei primi importanti elementi di quella narrativa meridionale italiana che, dopo *Fontamara*, dopo il primo Alvaro di *Vent'anni* e di *Gente in Aspromonte*, ci darà, con *Cristo si è fermato a Eboli* di Levi, con alcuni racconti di Pavese, con *Conversazione in Sicilia* e con *Le donne di Messina* di Vittorini, con De Angelis, con Rea, con Dessí, con Scotellaro, con Seminara (sono i nomi che primi ci vengono alla mente), una immagine non retorica, non moralistica, non esornativa del mondo contadino, riscoprendolo in una prospettiva storica nella verità del suo costume, delle sue stratificazioni sociali, nelle sue stesse esigenze di rinnovamento.

Come si è già accennato, l'ispirazione di *Fontamara* è piú antica e piú interna: è in un profondo fermento di vita popolare che si atteggia in tutto il racconto e lo affranca dalla « tranche-de-vie », dal mero documento. È questa la prova migliore dell'autenticità di questo « modo di raccontare » siloniano, autenticità soprattutto di linguaggio: pur non cedendo ad un culto del lessico dialettale, Silone riesce quasi sempre a far vivere i suoi personaggi nell'immediata schiettezza del loro rapporto con la vita.

(Ferdinando Virdia, *Silone*, Firenze, La Nuova Italia, 1967, pp. 59-60.)

La scelta della morte è scelta religiosa

In *Fontamara* il piccolo paese è come schiacciato da una congiura di forze oscure che nel complesso indicano il governo, lo stato o genericamente la società costituita. Taglieggiato da balzelli crudeli e antichi, viene privato della luce elettrica, poi dell'acqua. Siamo sotto il fascismo, un impresario podestà ne incarna l'arbitrio e la violenza. Ma il fascismo è soltanto la veste attuale di un'eterna condizione di sfruttamento dell'uomo da parte di chi detiene il potere. Dalla umanità dei cafoni esce Berardo Viola, il rivoluzionario capo dei giovani, qualcosa come una piccola luce di speranza, e una bandiera. Ma è una bandiera che non ha possibilità per operare e finirà in carcere, sceglierà anzi il carcere assumendosi colpe non sue, estrema libertà e rivendicazione della dignità dell'uomo nell'atto supremo della morte.

I motivi appaiono evidenti: da un lato lo schiacciamento dell'uomo, dall'altro la sua rivolta; e le forze dirette contro l'uomo, antiche come il mondo; la rivolta, suggellantesi nel vicolo cieco del carcere, l'isolamento monastico, scelta quasi religiosa, l'unica concessa dato il muro insuperabile di quelle forze.

(Claudio Marabini, *Gli anni Sessanta: narrativa e storia*, Milano, Rizzoli, 1969, pp. 264-265.)

Fontamara *come urgenza di testimoniare*

È in questo stato d'animo, gonfio di sentimenti contrastanti, dall'amarezza al rimpianto, dal timore dell'isolamento e della solitudine al proposito di resistere a qualsiasi ricatto morale o materiale, dall'incertezza del futuro allo sgomento del presente, che il fuoriuscito Silone scrive, nel 1930, in una casa di cura di Davos, in Svizzera, il suo primo romanzo: *Fontamara*. A motivare tale decisione sono la necessità di riconfermare pubblicamente il proprio impegno politico a favore e in difesa dei suoi « cafoni », il bisogno di chiarire — anzitutto a se stesso — il senso di un contributo personale ed isolato alla lotta per questa causa, il significato del proprio atteggiamento, del proprio gesto nei confronti del Partito da cui è uscito. Si presenta, inoltre, l'occasione di denunziare lo stato di avvilimento e di prostrazione in cui si trova la provincia italiana sotto il regime fascista e quindi di riscattare la stessa da quella immagine convenzionale e di comodo che in Italia e all'estero molti sono andati facendosi. Infine, con l'opportunità di aiutare la propria gente nella presa di coscienza della condizione in cui si trova, il momento propizio per ricordare agli intellettuali italiani la propria parte di responsabilità nell'attuale stato di cose, indicando loro quello che può essere un primo passo per porvi rimedio, vale a dire rompere con certo linguaggio da e per soli letterati, tradizionale espressione non soltanto della borghesia piú retriva ma anche di una cultura ed una letteratura del tutto estranee alla presente realtà storica e sociale.

Tali le istanze che motivano questa sua prima prova narrativa, che nasce soprattutto dalla volontà di testimoniare, rendendone partecipe il pubblico, l'urgenza assillante di problemi ed interrogativi che non sono suoi soltanto, ma di tanti altri suoi coetanei.

(Mario Mariani, *Letteratura italiana - I Contemporanei*, vol. III, Milano, Marzorati, 1973, pp. 374-375.)

La struttura ideologica è marxiana

Opportunamente — attraverso le pagine del romanzo — il dialetto appare, come sappiamo teorizzato da Adorno, lingua impoverita dal dominio e in quanto tale incapace di descrivere fino in fondo l'oppressione agli oppressi; Silone intuitivamente ne è consapevole e da qui la sua scelta espressiva. Si diceva che *Fontamara* è il racconto di una guerra di classe tra i contadini poveri di un villaggio di montagna e i nuovi padroni fascisti del capoluogo, alleati agli ex-notabili democratici e alle autorità religiose (sullo sfondo il potere economico centrale, il capitale della grande città, simboleggiato dal mito-incubo della banca, che implica in sé anche la corruzione e la mondanizzazione religiosa per la sua architettura basilicale col coronamento a cupola; è una delle figure polemiche piú ricorrenti di Silone: « le chiese sono diventate banche »). La sua struttura ideologica è esemplarmente marxiana: dalla rottura della crosta dell'individualismo, alla nascita e al consolidarsi della solidarietà di classe, alla lotta di popolo. [...] Parabola biblica: i fontamaresi hanno una terra promessa, il loro regno d'utopia nella pianura del Fucino; satira politica (il lungo elenco di grotteschi: don Circostanza, don Carlo Magna, don Abbacchio, il cavalier Pelino, ecc.); referto antropologico: le opere e i giorni dei contadini, i terreni e le culture, gli usi e i proverbi; tutti questi registri confluiscono in un discorso che si articola in pluricoralità (quel villaggio — Fontamara — sempre pieno di voci in cui ognuno partecipa alla vita di tutti; il coro delle donne, il coro dei cafoni, il coro dei fascisti), e che prende senso dalla lotta ipostatizzata secondo le forme della ballata popolare (tra Berardo Viola, l'eroe dei cafoni, il piú forte e quindi legato con la piú bella, Elvira, predestinato addirittura nella sua storia familiare e l'Impresario, il leader dei fascisti, quasi privo di figura, simbolo del male e perciò chiamato il Diavolo), senza perdere nulla della sua connotazione realistica e della sua verità storica. Pietà e indignazione muovono continuamente da queste pagine dove si verifica una identificazione pressoché totale tra l'autore e i fatti narrati, senza troppo pressanti interventi autobiografici o amplificazioni di commento (che vedremo invece piú spesso, e fastidiosamente oratori, nei romanzi successivi).

Il successo di *Fontamara*, la sua caratura di best-seller mondiale, rimangono un *unicum* (pur tenendo presente anche la fortuna del successivo, *Vino e Pane*); il romanzo appartiene alla grande categoria dei libri civili in cui si riassume la punta di progresso di una generazione. Per l'eco esercitata e per l'analoga dimensione di testimonianza possiamo avvicinarlo a *Niente di nuovo sul fronte occidentale*, di E.M. Remarque, romanzo antimilitarista e a *Buio a mezzogiorno* di A. Koestler, sul terrore staliniano.

Fontamara riscuote immediatamente un grandioso consenso di lettura perché il suo contenuto di classe si rivolge al piú largo pubblico potenziale: quello dei democratici borghesi e del proletariato contadino. Si spiegano cosí le traduzioni che coprono tutto il mercato mondiale, anche nelle lingue piú remote e nei paesi piú modesti (per i quali non è neppure possibile ritrovare una borghesia illuminata di lettori); si spiega anche la fortuna didattica del romanzo proprio per il suo carattere di *flash* di una situazione per alcune zone ormai storica e per altre invece ancora attuale.

(Carlo Annoni, *Invito alla lettura di Silone*, Mursia, Milano, 1977[3], pp. 44-46.)

La coscienza dell'uguaglianza e la diffidenza verso il governo nei cafoni

Il romanzo ha un impianto corale in cui, in una condizione comune, gli stessi avvenimenti riguardano tutti; insieme alla miseria, che sembra inamovibile, gli abitanti di Fontamara dividono le sventure, le sopraffazioni, gli inganni dei potenti, eppure essi non sono uniti, ognuno pensa per sé, ha paura di compromettersi: « Quando c'è la fame, i cafoni hanno avuto sempre un solo scampo: divorarsi tra loro » commenta il pessimismo di Silone.

Manca dunque a loro la coscienza di un diritto eguale, che unisce e diventa una forza; eppure i cafoni avvertono il bisogno di capirsi (Silone insiste su questo verbo) che vuol dire sentire e parlare le stesse cose; sanno di essere eguali in un mondo che è diverso da quello cittadino da cui parte la legge, opera di un governo lontano, a loro estraneo, di cui essi diffidano per una lunga esperienza di sopraffazioni e di inganni.

(Olga Lombardi, *Fontamara*, in *Novecento*, vol. VIII, Milano, Marzorati, 1980, p. 6961.)

Fontamara, *ricerca della struttura civile e religiosa della nostra società*

L'efficacia piú legittima da un angolo rigorosamente letterario, non di cronaca giornalistica, era invece ottenuta da Silone nel secco timbro epico, che è un po' il basso continuo di tutta *Fontamara*, prima che si incentri nell'avventura conclusiva del personaggio maggiore Berardo Viola, il manesco ragazzaccio di paese che, toccato da un ideale di rivolta e di azione, illuminato da un dovere che confusamente ha intuito appartenere alla sua coscienza, si sacrifica per salvare il capo della resistenza. Pagine non dimenticabili, le quali non vanno considerate in se stesse, ma in quanto sintomo e apparizione del problema centrale di Silone, la ricerca della struttura morale e religiosa della nostra società, i mezzi sociali per realizzare questa epifania politica, anche se essa non doveva rivelarsi al tutto positiva.

(Giorgio Petrocchi, *Ispirazione etico-politica di Silone*, in *Novecento*, vol. VIII, Milano, Marzorati, 1980, p. 6991.)

III

ESERCITAZIONI

Onde fornire suggerimenti per una pratica verifica delle acquisizioni dei lettori di *Fontamara*, ci sia permesso suggerire alcune esercitazioni.

Non meravigli che alla fine di un saggio, cosiddetto critico, si inviti chi ha parallelamente fruito, e dell'opera dell'autore-scrittore, e del giudizio che ne hanno dato i vari commentatori, nel tempo e in questa stessa occasione, a tentare di avviare una propria analisi testuale.

Lo spirito della collana vuol giustamente arrivare a stimolare nei lettori, piú o meno occasionali, la critica personale, traendo spunto da quanto è stato detto sull'opera in sé e sull'operazione letteraria specificatamente isolata nei suoi valori di forma e di contenuto o, meglio ancora, di struttura.

1. *Seguire in tutte le sue manifestazioni la « presenza fascista » nel romanzo e ricondurre sul piano della verità storica la denuncia morale di Silone, con argomentazioni opportune.*

2. *Spiegare il senso del Cristianesimo « senza chiesa » di Silone, partendo dagli spunti polemici della religiosità dei cafoni.*

3. *Reperire i brani in cui la metafora, sotto la spinta della violenza deformante, imprime alle immagini una funzione caricaturale, ed illustrare tutti i possibili significati del ruolo dell'ironia e del grottesco.*

4. *Cercare di ricostruire, attraverso l'analisi del linguaggio, le coordinate della psicologia contadina ed esprimere un giudizio sul modo in cui lo scrittore ha realizzato il suo proposito estetico di fedeltà linguistica alla radice della psicologia dei cafoni.*

5. *Rintracciare gli spunti in cui è possibile il riferimento storico ed interpretare* Fontamara *alla luce della questione meridionale.*

6. *Seguire la linea della struttura generale del romanzo e rilevare eventuali rapporti tra realismo storico e realismo psicologico.*

7. *Illustrare i motivi per cui* Fontamara *può essere considerato il primo documento narrativo della Resistenza* ante litteram.

8. *Delineare le correlazioni tra le tre « voci narranti » e l'autore ed enucleare i rapporti (o le distanze) tra il romanzo di Silone e il romanzo verista.*

9. Fontamara *è considerata un'opera nata da una particolare condizione interiore, di delusione e di sgomento, scritta dopo il rifiuto del comunismo. Rintracciare i motivi marxisti presenti nell'opera ed illustrare in che misura essi sopravvivono nel « comunismo cristiano » di Silone.*

10. *Attraverso le oscillazioni di frequenza dei sostantivi, ricostruire le linee tematiche di* Fontamara.

11. *Spiegare il senso delle ripetizioni di aggettivi e di elementi qualificativi e dimostrare se essi esprimono sterilità fantastica o un proposito estetico dell'autore.*

12. *Attraverso lo scrutinio dei congrui fotogrammi episodici, definire la perimetrazione corale del romanzo, collegandolo storicamente con i similari modelli narrativi, e tracciare, sulla scorta di correlate tessere documentarie, l'oscillazione morale dello scrittore tra inquietitudine sociale e misticismo.*

13. *Dimostrare come in* Fontamara *la scelta della morte, oltre a caricarsi di fatalistiche valenze etiche, si configuri anche come scelta religiosa e ideologica.*

14. *Estrapolare le polivalenti correlazioni del « banchetto » con la parabola epica della storia dei cafoni, instaurare plausibili interrelazioni con altre esemplari circostanze, tramandateci soprattutto dalla tradizione cristiana, sottolineando particolarmente il ruolo reale assegnato dallo scrittore al « festino plutocratico-fascista ».*

15. *Enucleare i riferimenti alla « tromba dei cafoni », decifrandone le connotazioni idealizzanti e le possibili ascendenze storico-letterarie.*

16. *Illustrare compiutamente, attraverso una approfondita ricognizione analitica della relativa parabola agiografica, la visione « siloniana » del Paradiso.*

17. *Decrittare le complesse valenze realistiche e simboliche, di cui risulta investito il protagonista Berardo Viola.*

18. *Elaborare un ritratto esaustivo di Elvira ed instaurare ipotetiche parametrazioni con altre figure femminili della letteratura italiana.*

IV

NOTA BIBLIOGRAFICA

I. OPERE DI IGNAZIO SILONE

Narrativa

Fontamara, Zurigo 1933, Basilea 1934 (in tedesco); Parigi-Zurigo 1934 (in italiano); Roma, Faro, 1945; Milano, Mondadori, 1949.

Pane e vino, Londra 1936 (in inglese); Zurigo 1937 (in tedesco); Lugano 1937 (in italiano). Prima edizione in Italia, completamente riveduta e col titolo *Vino e pane*, Milano, Mondadori, 1955.

Il seme sotto la neve, Zurigo 1941 (in tedesco); Lugano 1941 (in italiano); Roma, Faro, 1945; Milano, Mondadori, 1950, 1961 (interamente riveduta).

Una manciata di more, Milano, Mondadori, 1952.

Il segreto di Luca, Milano, Mondadori, 1956.

La volpe e le camelie, Milano, Mondadori, 1960.

L'avventura d'un povero cristiano, Milano, Mondadori, 1968.

Severina (postumo), Milano, Mondadori, 1981.

Saggistica

Der Fascismus; seine Entstehung und seine Entwicklung, Zurigo 1934.

La scuola dei dittatori, Zurigo 1938 (in tedesco); Milano, Mondadori, 1962.

Ed egli si nascose, Zurigo-Lugano 1944; Roma, Documento, 1945, e in « Teatro », n. 12-13, 1° luglio 1950.

L'eredità cristiana: l'utopia del Regno e il movimento rivoluzionario (conferenza tenuta a Roma nel 1945).

L'Abruzzo, in *Abruzzo e Molise* (« Attraverso l'Italia », XIV), Milano, Touring Club Italiano, 1948.

Testimonianze sul comunismo, Torino, Comunità, 1950.

La scelta dei compagni, Torino, « Quaderni » dell'Associazione Culturale Italiana, 1954.

Un dialogo difficile, Roma, Opere Nuove, 1958.

Uscita di sicurezza, Firenze, Vallecchi, 1965.

Ecco perché mi distaccai dalla Chiesa, in « La Discussione », 31 ottobre 1965, e in « La Fiera Letteraria », 7 novembre 1965.

L'avventura d'un povero cristiano (dall'omonima opera narrativa), in « Il Dramma », 12 settembre 1969.

II. BIBLIOGRAFIA ESSENZIALE DELLA CRITICA SU « Fontamara »

F. Clerici, recensione in « Avanti! », Zurigo, marzo 1933.
A. Saager, recensione in « National Zeitung », Basilea, aprile 1933.
C. Rosselli, recensione in « Quaderni di Giustizia e Libertà », Parigi, novembre 1933, riportato in « Italia Socialista », 10 giugno 1948.
E. Herup, *Historien om Fontamara*, in « Politiken », Copenaghen, 24 marzo 1934.
I. Madass, *Apostolok oszlaza*, in « Litteratura », Budapest, marzo 1934.
K. Radek, *Discorso al Congresso degli Scrittori Sovietici*, Mosca, 17 agosto 1934.
G. Greene, *I. Silone*, in « The Spectator », Londra, 2 novembre 1934.
A. Russi, recensione in « Aretusa », Napoli, marzo-aprile 1944; ora in *Gli anni della antialienazione*, Milano, Mursia, 1967.
G. Russo, *I cafoni e il Solito Sconosciuto*, in « L'Italia Socialista », Roma, 10 giugno 1948.
G. Bonfanti, *Ignazio Silone: « Fontamara »*, in « La Rassegna d'Italia », Milano, maggio 1949, pp. 555-558.
G. Petrocchi, *Silone è rimasto lontano dagli italiani: vent'anni di « Fontamara »*, in « Il Quotidiano », Roma, 25 maggio 1949; poi in « Humanitas », Brescia, luglio 1949, pp. 757-758.
G. De Robertis, *« Fontamara », il libro del giorno*, in « Tempo », Milano, 11-18 giugno 1949.
E. Allodoli, *« Fontamara » di Silone*, in « Il Giorno di Trieste », 15 novembre 1949.
G. Petroni, *Testimonianza a I. Silone*, in « La Fiera Letteraria », Roma, 11 dicembre 1949.
G. Bellonci, *Ritratto di Silone*, trasmesso alla RAI, l'8 novembre 1951.
C. Sofia, *Fontamara dietro di Silone*, in « Il Mondo », Roma, 2 maggio 1953.
A. Gatto, *Le buone azioni di Silone*, in « La Fiera Letteraria », Roma, 11 aprile 1954.
L. Trotzkij, *Una lettera di Trotzkij a Silone* (titolo redazionale, la lettera è dell'ottobre 1933), in « Il Punto », 8 marzo 1958.
R. Lewis, *Lettura di « Fontamara »*, in « Rewiews », New York, 1960.
H. Louette, *Ignazio Silone, romanziere della miseria*, in « La Croix », Parigi, 14-15 gennaio 1968.
P. Spezzani, *Fontamara di Silone. Grammatica e retorica del discorso popolare*, Padova, Liviana, 1979.

III. STUDI SULL'OPERA DI IGNAZIO SILONE

G. Mariani, *Ignazio Silone*, in *Letteratura Italiana - I contemporanei* (vol. III), Milano, Marzorati, 1960.
R.W.B. Levis, *Introduzione all'opera di I. Silone*, Roma, Opere Nuove, 1961.
F. Virdia, *I. Silone*, Firenze, La Nuova Italia, 1967.
L. D'Eramo, *L'opera di I. Silone. Saggio critico e guida bibliografica*, Milano, Mondadori, 1971.

A. SCURANI, *Ignazio Silone*, Milano, Ed. di « Letture », 1973.
C. ANNONI, *Invito alla lettura di Ignazio Silone*, Milano, Mursia, 1974-1986.
AA.VV., *Socialista senza partito - Cristiano senza Chiesa*, Torino, Edizioni Paoline, 1974.
P. ARAGNO, *Il romanzo di Silone*, Ravenna, Longo, 1975.
G. RIGOBELLO, *Ignazio Silone*, Firenze, La Nuova Italia, 1975.
O. LOMBARDI, *Ignazio Silone*, in *Novecento*, vol. VIII, Milano, Marzorati, 1980, pp. 6959-6985.
V. ARNONE, *Ignazio Silone*, Roma, Edizioni dell'Ateneo, 1980.
A. GASBARRINI - A. GENTILE, *Ignazio Silone tra l'Abruzzo e il mondo*, L'Aquila, Ferri, 1980^2.
G. PETROCCHI, *Ispirazione etico-politica di Silone*, in *Novecento*, vol. VIII, Milano, Marzorati, 1980, pp. 6989-6995.
E. CIRCEO, *Da Croce a Silone*, Roma, Edizioni dell'Ateneo, 1981.
O. LOMBARDI, *Ignazio Silone*, Edizioni del Noce, 1982.
I. ORIGO, *Bisogno di testimoniare*, Milano, Longanesi, 1985.
C. LORUSSO, *Ignazio Silone*, Ancona, Editrice Adriatica, 1989.
ATTI DEL CONVEGNO, *Ignazio Silone scrittore europeo*, Pescina 8-10 dicembre 1988, in « Oggi e Domani », a. XVII, n. 4, Pescara, aprile 1989. INTERVENTI: F. BARBERINI, *Ignazio Silone nel quadro della narrativa meridionalistica*; E. CIRCEO, *L'umanesimo cristiano di Ignazio Silone*; A. GAROSCI, *Silone nella politica*; A. GASBARRINI, *Silone comunista: 1921-1931*; G. LUTI, *La pietra di paragone: ideologia e arte nell'opera di Silone*; J. NEUCELLE, *L'attesa del padre*; W. MAURO, *I. Silone e il realismo*; G. PAMPALONI, *Attualità europea di Silone*; G. PETRONI, *Un testimone d'eccezione*; L. PICCIONI, *Il sottosuolo meridionale*; J. POMIANOSKI, *Quasi come i libri del Vangelo*; S. VALITUTTI, *Silone, uomo europeo*; V. VOLPINI, *L'avventura cristiana di I. Silone.*

IV. OPERE DI CARATTERE GENERALE SU SILONE DI CUI SI CONSIGLIA LA LETTURA

G. PAMPALONI, *L'opera narrativa di Ignazio Silone*, « Il Ponte », gennaio 1949, pp. 49-58.
C. VARESE, *Cultura letteraria contemporanea*, Pisa, Nistri-Lischi, 1951.
E. CECCHI, *Di giorno in giorno*, Milano, Garzanti, 1954.
E. FALQUI, *Novecento Letterario*, vol. III, Firenze, Vallecchi, 1955.
F. FLORA, *Storia della letteratura italiana*, vol. V, Milano, Mondadori, 1957.
I. HOWE, *Politica e romanzo* (trad. ital. di G. De Angelis), Milano, Lerici, 1962.
G. BÀRBERI SQUAROTTI, *La narrativa italiana del dopoguerra*, Bologna, Cappelli, 1965.
G. MANACORDA, *Storia della letteratura italiana contemporanea (1940-1965)*, Roma, Editori Riuniti, 1967.
C. VARESE, *Occasioni e valori della letteratura contemporanea*, Bologna, Cappelli, 1967.
C. MARABINI, *Gli anni Sessanta: narrativa e storia*, Milano, Rizzoli, 1969.
L. D'ERAMO, *L'opera di Ignazio Silone*, Milano, Mondadori, 1972.
G. GIACALONE, *Da Svevo ai nostri giorni*, Milano, Signorelli, 1980.

V. ALTRE TESTIMONIANZE CRITICHE

U. Calosso, « Avanti! », 7 ottobre 1944.
L. Bigiaretti, « Avanti! », 29 agosto 1945.
T. Guerrini, « Aretusa », novembre 1945.
G. De Robertis, « Mercurio », dicembre 1945.
C. Tumiati, « Il Ponte », maggio 1946.
E. Vittorini, « La Stampa », 6 settembre 1951.
G. Lopez, « Epoca », 5 luglio 1952.
G. Petroni, « La Fiera Letteraria », 27 luglio 1952.
C.M. Richelmy, « Orizzonti », 31 agosto 1952.
A. Rapisarda, « Risorgimento socialista », agosto 1952.
G. Petronio, « Avanti! », 31 agosto 1952.
C. Tumiati, « Il Ponte », settembre 1952.
E. Craveri Croce, « Lo spettatore italiano », settembre 1952.
E. Montale, « Il Corriere della Sera », 4 dicembre 1952.
G. Vigorelli, « Giovedí », 30 aprile 1953.
Omaggio a Silone, « La Fiera Letteraria », 11 aprile 1954 (con scritti di N. Aiello, R. Assunto, G. Dessí, E. Forcella, P. Milano, E. Pesce, G. Petrocchi, G. Petroni, G. Piovene, B. Tecchi, V. Volpini).
G. Vigorelli, « La Fiera Letteraria », 24 ottobre 1954.
G. Ravegnani, « Epoca », 11 agosto 1955.
A. Bocelli, « Il Mondo », 23 agosto 1955.
G. Ravegnani, « Epoca », 14 aprile 1957.
L. Gigli, « La gazzetta del popolo », 25 aprile 1957.
L. Piccioni, « Prospettive meridionali », aprile 1957.
E. Craveri Croce, « Il punto », 5 ottobre 1957.
G. Spagnoletti, *I romanzieri italiani del nostro secolo*, Torino, Ed. rai, 1957.
C. Varese, « Il punto », 26 ottobre 1957.
P. Milano, « L'Espresso », 24 luglio 1960.
L. Piccioni, « Il popolo », 3 agosto 1960.
A. Camerino, « Il Gazzettino », 8 agosto 1960.
G. Ravegnani, « Il giornale d'Italia », 19 agosto 1960.
A. Bocelli, « Il mondo », 6 settembre 1960.
C. Salinari, « Vie Nuove », 15 febbraio 1962.
L. Baldacci, « Il giornale del mattino », 31 ottobre 1962.
M. Cesare Sforza, « Il mondo », 15 gennaio 1963.
C. Bo, « L'Europeo », 4 aprile 1965.
I. Montanelli, « Il Corriere della Sera », 5 giugno 1965.
G. Vigorelli, « Tempo », 30 giugno 1965.
C. Laurenzi, « Il Corriere della Sera », 16 luglio 1965.
F. Antonicelli, « La Stampa », 29 agosto 1965.
G. Gramigna, « La Fiera Letteraria », 5 settembre 1965.
E. Fenu, « L'Osservatore romano », 23 settembre 1965.
A. Garosci, « Comunità », 10 ottobre 1965.
M.E. Cimmaghi, « Il Popolo », 5 novembre 1965.
G. Pampaloni, « La Fiera Letteraria », 7 novembre 1965.
A. Bocelli, « Nuova Antologia », maggio 1966.
A. Bocelli, « La Stampa », 28 marzo 1968.
F. Simongini, « Avanti! », 7 aprile 1968.
D. Porzio, « Panorama », 18 aprile 1968.
G. Vigorelli, « Tempo », 30 aprile 1968.

C. Bo, « L'Europeo », 30 maggio 1968.
G. Sartorelli, « Nuova Antologia », maggio 1968.
D. Grasso, « Civiltà Cattolica », 1° giugno 1968.
A. Barolini, « La Discussione », 8 giugno 1968.
P.C. Masina, « Critica sociale », 5 luglio 1968.
C. Della Corte, « La Fiera Letteraria », 12 settembre 1968.
G. Auletta, « L'Osservatore della Domenica », 8 dicembre 1968.
E. Cecchi - N. Sapegno, *Storia della letteratura italiana*, vol. IX, Milano, Garzanti, 1969.
A. Scurani, *I. Silone, un amore religioso per la giustizia*, Milano, Ed. Letture, 1969.
O. Lombardi, *La narrativa italiana nella crisi del '900*, Caltanissetta, Sciascia, 1971.
M. Stefanile, *Sessanta studi di varia letteratura*, Napoli, Guida, 1972.
L. D'Eramo, « La Fiera Letteraria », 11 maggio 1975.
N. Aiello, « L'Espresso », 3 settembre 1978.

INDICE DEI NOMI

INDICE GENERALE

Date Due
